Hagemeier

Postpolitische Konstellationen

Martin Hagemeier

Postpolitische Konstellationen

Zu Erfahrung, Wissen und Handlungsmacht

Bibliografische Information der Deutschen Nationalbibliothek:
Die Deutsche Nationalbibliothek verzeichnet diese Publikation in der Deutschen Nationalbibliografie; detaillierte bibliografische Daten sind im Internet über www.dnb.de abrufbar.

Herstellung und Verlag:
BoD – Books on Demand, Norderstedt

ISBN: 978-3-7460-6827-5

Inhaltsverzeichnis

1 Einleitende Impulse

Postpolitische* Konstellationen stehen am Anfang dieses Textes.[1] Postpolitische Konstellationen? Das sind die Bedingungen, unter denen sich politisches und soziales Handeln heute vollzieht. Ihre Symptomatik zeigt sich besonders im Umgang mit einer zentralen Herausforderung: Die zunehmende soziale Komplexität führt auf der einen Seite zu einem Anwachsen individueller und kollektiver Entscheidungsmöglichkeiten. Auf der anderen Seite drängt sich der Eindruck auf, dass es an gesellschaftlichen Alternativen mangelt, um entschieden – über den individuellen Lebensentwurf hinaus – auf die Anforderungen komplexer werdender Gesellschaften zu reagieren.

Hier ist bezeichnend, dass wir zwar durchgehend mit den sozialen Auswirkungen der postpolitischen Konstellationen konfrontiert werden, aber nur eingeschränkt auf sie Einfluss-nehmen können. Dieses Spannungsfeld erschließt sich mir im Folgenden über die Suche nach individueller und kollektiver Handlungsmacht. In diesem Zusammenhang ergründe ich, inwiefern unter den postpolitischen Konstellationen Autonomie* weiterhin formuliert, begründet und behauptet werden kann. Im weiteren Verlauf des Textes wird dies vornehmlich eine erkenntnistheoretische Auseinandersetzung, die sich auf die Grundlagen unserer sozialen Erfahrung und die Bedingungen der Formulierung von Wissensansprüchen fokussiert. Die Diskussion einer Begründung kooperativer Handlungsmacht schließt diesen Text letztlich ab.

Der eingenommene Ausgangspunkt und die dazu aufgeworfenen Aspekte eröffnen bereits eine breite Palette an Themen. Wie lassen sie sich unter einen Hut bringen? Eine meiner flapsigeren Einsichten besteht darin, dass es diesen einen Hut nicht geben wird. Abhilfe verschafft allerdings eine Theorie des Subjekts. Damit bietet sich uns ein Abstecher in die Praxis an. Wir können uns an Subjekte wenden und sie direkt befragen: Warum beteiligst Du Dich nicht an Wahlen? Warum bist Du nicht in einer Gewerkschaft, einem Verein oder einer Partei aktiv? Wann warst Du zum ersten oder auch letzten Mal auf einer Demonstration? In welche kooperativen Strukturen bist Du involviert? Warum hörst Du Dir

---

1 Begriffe, die mit einem * versehen sind, werden am Ende in einem Glossar kurz erläutert. Der * kennzeichnet sie bei erstmaliger Erwähnung.

die Stammtischparolen an, widersprichst aber nicht der platten Polemik?

Solange uns Subjekte nicht darauf antworten, können uns Soziologie und Politikwissenschaft zu diesen Fragen Auskunft geben. Allerdings ist dann weniger von Subjekten die Rede, als von sozialen Akteuren. Weitere Elemente der Theoriebildung sind ebenso anzupassen. Autonomie passt zwar thematisch, ich bevorzuge allerdings das Konzept von Agency*, von Handlungsmacht. Wollen wir den Konsequenzen der postpolitischen Konstellationen entkommen, brauchen wir eine Bestimmung von Agency, als sozialer und politischer Handlungsmacht. Dieses Konzept umfasst ein aktives Moment, das in den geläufigen Verständnissen von Autonomie oft zu kurz kommt. Agency verweist auf einen vorantreibenden Impuls, mit dem Prozesse initiiert und im Idealfall auch soziale Kooperationen gefördert werden. Dazu gehört ebenfalls die Auseinandersetzung mit den Motivationen des eigenen Handelns und Urteilens und mit dem Ziel, etwas zu tun. Egal was. Unterzeichne eine Petition. Backe einen Kuchen. Kette Dich vor das Parlament. Organisiere einen Protest. Diskutiere mit anderen. Tritt in die Öffentlichkeit oder besuche nur ein Museum. Aber mache es aus einem guten Grund und teile Deine Motivationen und Begründungen mit anderen. Teile zumindest den Kuchen. Kuchen geht immer.

Mein Augenmerk richtet sich dazu besonders auf Zugänge zu den Elementen der Formierung subjektiver Handlungsmacht und kollektiver Wissensansprüche. In Umformulierung der klassischen kantischen Fragen ist dies eine Auseinandersetzung mit drei Aspekten: Wie kann ich etwas Wissen? Sollte ich wirklich daran glauben? Und eigentlich müsste es jetzt heißen: „Wie bekomme ich den Ar*** hoch?“ Aber wir haben uns gerade erst kennengelernt, da verweise ich lieber auf Mahatma Gandhi: „Sei der Wandel, denn du in der Welt sehen willst.“ Auch wenn dies keine Frage ist. Es ist nicht mal ein korrektes Zitat von Gandhi.[2]

Während der Arbeit an diesem Buch präsentierte mir meine Facebook-Filterblase beständig weitere Zitate, die so nie gesagt oder gemeint gewesen sein konnten. Zumeist unterlegt mit

---

2 „Be the change you wish to see in the world.“ Dieser Spruch ist eine sinnentstellende Kürzung eines längeren Zitats von Gandhi, vgl. Morton 2011. Übersetzungen sind vom Autor, soweit nicht auf deutsche Übersetzungen zurückgegriffen wurde.

Schwarz-Weiß-Fotografien bekannter Gesichtern oder malerischer Ansichten. Mit dem Schlagwort des Postfaktischen wurden plötzlich Behauptungen als Grundlage von Begründungen angeführt, die einer jeden Grundlage entbehren oder sich jeder rationalen Begründung entziehen. Getrumpft nur noch durch die Redeweise von alternativen Fakten. Davon grenze ich mich ab. Es ist nicht das Ziel, Tatsachen zu widerlegen, falsche Behauptungen aufzustellen oder nicht nachvollziehbare Legitimationen anzuführen. Das angestrebte Theoriedesign* dreht sich vielmehr um Formen des Begründens und um die Frage, wie wir mit den Widersprüchen konfligierender Begründungen umgehen können. Verdeutlichen lässt sich dies am Beispiel tiefer Meinungsverschiedenheiten.[3]

Tiefe Meinungsverschiedenheiten verweisen auf innergesellschaftliche Konfliktlinien und charakterisieren sich durch die in ihnen zum Ausdruck kommenden ungelösten gesellschaftlichen Spannungen. Abtreibung? Atomkraft? Dürfen wir Tiere essen? Diese Themenfelder eröffnen jeweils eine stringente Argumentation dafür und dagegen. Nur überzeugen die jeweiligen Begründungen eben nicht alle. Argumente werden mich nicht davon überzeugen können, dass Atomkraft gut sein könnte, oder gar die Todesstrafe in bestimmten Situationen gerechtfertigt sei. Hier situiere ich mich in normativen Ordnungen, die diese Denkweise nicht vorsehen. Bei der Abtreibung ist es anders. Hier bin ich für eine liberale Fristenregelung. Vielleicht weil ich keine Antwort darauf finden kann, warum es akzeptabel sein soll, ein lebensfähiges acht Monate altes ungeborenes Kind zu töten.

Aber liegt hier nicht ein Widerspruch vor? Natürlich! Jemand kann vehement gegen die Todesstrafe sein und dann bei Abtreibungen doch weich werden. In einer argumentativen Entgegnung darauf finde ich den Hinweis: „Damit machst Du es Dir aber ganz schön einfach“ durchaus für angebracht. Nur dreht sich die Debatte um tiefe Meinungsverschiedenheiten weniger um das Untersuchen von argumentativen Plattitüden als um das Aushalten von Widersprüchen. Und dies nicht nur in Bezug auf die inneren Widersprüche einer Person, sondern auch um gesellschaftliche Widersprüche und Spannungen. Hier brauchen wir soziale Antworten. Tiefe Meinungsverschiedenheiten lassen sich nicht per Dekret lösen. Die aufeinandertreffenden Argumentationslinien sollten zumindest juristisch geregelt sein, damit klar ist, unter

3 Vgl. zu tiefen Meinungsverschiedenheiten Kappel 2012.

welchen Umständen Abtreibungen legal möglich sind. Grauzonen sind dabei vorprogrammiert. Momente, in denen das konkrete Leben uns mit politisch ungelösten Situationen konfrontiert, oder auf Vorbehalte und Meinungen reagieren soll, die nicht durch juristische Kniffe gelöst sind.

In Bezug auf die Gesellschaft ist danach zu fragen, wie sozialkooperative Gruppierungen mit fehlenden oder konfligierenden Horizonten der Begründung umgehen. Wie wirken sich diese Konflikte auf soziales Handeln aus? Wie gewinnen Akteure in ihrer sozialen Praxis eine Erkenntnis der dominierenden normativen Ordnung? Welche Einstellungen bilden sich hier gegenüber der sozialen Praxis und der normativen Ordnung heraus? Um Fragestellungen und Aspekte dieser Art zu bearbeiten, ist es entscheidend die sozialen Bedingungen normengeleiteten Handelns zu untersuchen. Auch, um später individuelle und kollektive Handlungsmacht zu lokalisieren, mit der diese Normen geändert werden können. Dazu ist es angebracht, zu erörtern, unter welchen Bedingungen individuelle oder kollektive soziale Akteure sich in großen oder kleinen Formaten an soziale Praktiken der Ausgestaltung der normativen Ordnung anschließen.

Mit diesen Aussagen kann ich mein spezifisches Erkenntnisinteresse formulieren: Mich interessieren die sozialen Bedingungen normengeleiteten Handelns und die sozialen Erfahrungen, die wir im Umgang mit normativen Ordnungen machen. Besonderes Interesse bringe ich der Frage entgegen, wie wir die Normen und Urteilskriterien unseres Handelns und Erkennens verändern können.

Autonomie und der Fluch der inneren Freiheit

Ehe ich einen Überblick über den folgenden Text gebe, ist ein konkreteres Eingehen auf die Absage an den Begriff der Autonomie angebracht. Als Schlagwort wird Autonomie oft mit Freiheit oder Unabhängigkeit in Verbindung gebracht oder als Moment der Selbstbestimmung charakterisiert. Autonomie bedeutet allerdings auch Selbstgesetzgebung. Damit werden ergänzende Aspekte der Selbstbeschränkung und Selbstbegrenzung in die Auseinandersetzung um die Bestimmungen von Autonomie und Freiheit eingebracht.[4] Als Selbstgesetzgebung ist Autonomie die Situierung innerhalb einer sozialen Ordnung. Wir sind nicht autonom, wenn wir frei, unabhängig und bindungslos existieren, sondern wenn wir um unsere sozialen Bindungen wissen und uns einer selbst gewählten Ordnung gegenüber verpflichten. Dieser Gedanke der sozialen Einbindung findet sich bereits in der Antike:

> „Jeder, der keine Gemeinschaft mit anderen bilden kann oder in seiner Autarkie nicht braucht, der ist kein Teil des Staats, sondern ein Tier oder ein Gott."[5]

Worauf Aristoteles hier nicht genauer eingeht – und dies ist ein Gedanke, der erst später in der Philosophie eingehender formuliert wird – ist die Abhängigkeit der eigenen Freiheit und der eigenen Möglichkeiten, von den Bedingungen der sozialen und politischen Ordnung. Diese Annahme findet sich prominent bei Hegel. Zumindest gibt es Raum in seinen Schriften für eine derartige Interpretation:

> „Das ist der ewige Missverstand der Freiheit, sie nur in formellem, subjektivem Sinne zu wissen, abstrahiert von ihren wesentlichen Gegenständen und Zwecken; so wird die Beschränkung des Triebes, der Begierde, der Leidenschaft, welche nur dem partikulären Individuum als solchem angehörig ist, der Willkür und des Beliebens für eine Beschränkung der Freiheit genommen. Vielmehr ist solche Beschränkung schlechthin die Bedingung, aus welcher die Befreiung hervorgeht, und Gesellschaft und Staat sind die Zustände, in welchen die Freiheit vielmehr verwirklicht wird."[6]

Die von mir hier geteilte Annahme zielt darauf, dass es Freiheit nur über die Teilnahme an einer sozialen Praxis und durch die Einbindung in eine normative Ordnung geben kann. Bedeutet dies, dass wir nur innerhalb der regulierenden Normen unserer sozialen Praxis frei sind? Für Hegelianer_innen ist dies ein Stück weit eine Frage der Interpretation.

Als Rechtshegelianer_innen können wir Hegel so lesen, dass der bürgerliche Rechtsstaat zur Entfaltung der Geschichte und zur Freiheit führt. Dann sehen wir in Hegel einen Verteidiger des

---

4 Vgl. dazu Castoriadis 1984, S. 606ff, 2011a, S.239ff und zu dieser Verbindung von Autonomie und Selbstbeschränkung bei Castoriadis auch Hagemeier 2014, S. 136-138.

5 Aristoteles, *Politik* 1253a 27 – 29.

6 Hegel 2015, S. 59.

preußischen Staates und der bürgerliche Rechtsstaat prägt die soziale Praxis, in welcher wir zur Freiheit gelangen.[7] Wird Hegel nur in dieser rechtshegelianischen Tradition gelesen, wird ein wichtiger Aspekt von Freiheit bei ihm allerdings marginalisiert. Die Freiheit gegenüber der sozialen Praxis, den normativen Ordnungen und den damit verbundenen Identitätsangeboten.

Sind wir Linkshegelianer_innen, dann entdecken wir in Hegel hingegen eine Denker_in der Revolution und der Befreiung. In diese Traditionslinie fällt die pragmatische Interpretation Hegels durch Robert Brandom.[8] Brandom unternimmt eine Verschiebung, quasi eine linkshegelianische Intervention, die sich weniger auf die bestehenden Institutionen fokussiert, sondern sich dem sozialen Stellenwert von Normen zuwendet. Brandom interessiert sich für Hegel, weil er eine Auseinandersetzung mit Formen der Rechtfertigung führt. Für Hegel gibt es vornehmlich nur eine kontextualisierte Freiheit innerhalb der sozialen Praxis der bürgerlichen Gesellschaft. Brandom zeigt, wie diese zu einer expressiven Freiheit gemacht werden kann, die Zugänge zu einer positiven Veränderung bestehender Normen und Begründungen enthält.

Diese linkshegelianische Deutung findet sich bei vielen Theoretiker_innen dieses Buches. Der Fokus ihres Interesses liegt dann auf unseren Zugriffsmöglichkeiten auf die normative Ordnung und die soziale Praxis einer Gesellschaft. Wir werden zwar durch Diskurse bestimmt, aber wir haben auch Zugriffsmöglichkeiten auf eine widerständige soziale Praxis. Wir können uns bestehende Grenzen und Konzeptionen aneignen, überschreiten und umgestalten.

Folgen wir dieser sozialen Grundannahme, dann befinden wir uns in dem Spannungsfeld von Autonomie und Heteronomie*. In sozialen Gemeinschaften sind wir mit einer Vielzahl sozialer Verhältnisse konfrontiert, denen wir nicht selbstbestimmt begegnen, sondern die wir als Form der Fremdbestimmung erleben. Wir haben weder die Regeln der Straßenverkehrsordnung gemacht, noch wurden wir gefragt, ob wir ihnen zustimmen. Allerdings ist den normativen Ansprüchen solcher sozialer Ordnungen nur schwer zu entkommen.

---

7 In der Kritik an dieser Position werden Hegel quasi faschistische Züge vorgeworfen, vgl. Taylor 2005, S. 378.

8 Vgl. dazu und im Folgenden Brandom 1979.

Der strikte Gegensatz von Selbst- und Fremdbestimmung wurde schon zu Beginn der soziologischen Forschung von Emile Durkheim als eine nur scheinbare Antinomie* ausgemacht.[9] Für Durkheim geht keine Disqualifizierung der individuellen Autonomie mit den zunehmenden Aspekten sozialer Fremdbestimmung einher. Durkheim konstatierte vielmehr, dass in der arbeitsteiligen Gesellschaft Individuen zunehmend an Autonomie gewinnen, auch wenn sie sich zugleich in immer stärkerer Abhängigkeit von der Gesellschaft befinden.

Die moderne Gesellschaft hat allerdings nochmals an Komplexität hinzugewonnen. Ist Durkheims Annahme mit der modernen soziologischen Beschreibung der Gesellschaft noch aufrechtzuerhalten? Wir befinden uns mittlerweile nicht mehr nur in nationalstaatlichen und arbeitsteilig organisierten Gesellschaften. Wir leben heute innerhalb einer global organisierten Gesellschaft, die in funktional differenzierter Weise organisiert und miteinander vernetzt ist.

Die Schwierigkeit ist hier, dass sich eine Differenzierung innerhalb der Autonomie durchgesetzt hat, die Durkheim in dieser Form nicht antizipierte. Über die Zunahme gesellschaftlicher Formen der Fremdbestimmung hat sich der Bereich der Autonomie verschoben. Diese Verschiebung geht vor allem zulasten unserer individuellen Möglichkeiten, politisch gegen die Ausgestaltung der globalen Wirtschaftsordnung vorzugehen. Dies führte zu einer zunehmenden Einschränkung politischer Autonomie, bei gleichzeitiger Zunahme individueller Ausgestaltungsmöglichkeiten in unserem sozialen und kulturellen Umfeld. Wir sind frei in der Ausgestaltung unseres individuellen Lebensentwurfes, aber ist dies noch genug, um von Autonomie zu sprechen? Wie ist diese abnehmende politische Autonomie zu rechtfertigen? Wie ist mit dieser Ausdifferenzierung der Autonomie umzugehen?

Auf der einen Seite begegnen uns Einschränkungen unserer politischen Autonomie, die auf Formen der politischen Beteiligung beschränkt ist, wie sie in liberalen Modellen repräsentativer Demokratie realisierbar sind. Politische Alternativen zu diesen Modellen, die auf eine stärkere Implementierung basisdemokratischer und selbstbestimmter Prozesse setzen, werden zu Subkulturen degradiert. Auf der anderen Seite erlangen wir für die Ausgestaltung unserer sozialen und kulturellen Lebensentwürfe

9 Vgl. dazu und im Folgenden Durkheim 2012, S. 82.

größere Spielräume, die wir mit der Preisgabe von Möglichkeiten der politischen Ausgestaltung bezahlen. Hier hat ein Bedeutungswandel von einer politischen zu einer sozialen und kulturellen Autonomie stattgefunden. Autonomie wurde damit zu einem Problem der inneren Freiheit, zu einer Frage der Wahl des sozialen und kulturellen Lebensentwurfs.[10]

Dies kann man noch gut und in Ordnung finden. Denn es bleibt uns überlassen, wie wir uns als freie und autonome Individuen in der Gesellschaft engagieren und ausleben wollen. Aber als innere Freiheit wird Autonomie nicht mehr gemeinsam formuliert. Damit korrespondierend schwinden Formen der kooperativen politischen Auseinandersetzung über die Ausgestaltung unserer normativen Ordnung. Dieser Wandel der Autonomie zur inneren Freiheit führt dann letztlich zu einer Schwächung innergesellschaftlicher Solidarität. Politische Autonomie wird dann zum einen nur noch innerhalb formalisierter demokratischer Verfahren vermutet. Und zum anderen wird Politik dann nur noch von denen gemacht, die sich dafür interessieren, respektive von denen, die in der Lage sind, genügend Ressourcen zu mobilisieren, um sich in politische Verfahren einzubringen.

Wie kommen wir demnach zu einem Verständnis von Autonomie, in dem sie dazu beiträgt, soziale Prozesse zu fördern, die zur Stärkung gesellschaftlicher Teilhabe und zu ausgeprägteren Formen sozialer Kooperation beiträgt? Eine dezidierte Antwort auf diese Frage erschließe ich im Folgenden über die Auseinandersetzung mit den postpolitischen Konstellationen und über die Entwicklung eines Verständnisses von Agency als kooperativer Handlungsmacht. Über den Aspekt der sozialen Teilhabe verbinden sich hier die Forderungen nach Autonomie und sozialer Kooperation miteinander. Damit werden Fragen der Inklusion und Solidarität virulent. Es ist nicht nur nach den Bedingungen von Autonomie und nach der Förderung individueller Selbstbestimmung zu fragen. Damit würden wesentliche gesellschaftliche Teilbereiche ausgeblendet, die direkt zur Ermöglichung von Autonomie beitragen. Autonomie zu fordern, bedeutet in erster Linie auch soziale Teilhabe zu verlangen und diese für andere zu ermöglichen.

---

10 Vgl. Dietz 2013, S. 256. Dietz skizziert hier, wie sich der Begriff der Autonomie in der Antike von der kollektiven Gesetzgebung des Staates zu einer Fragestellung der inneren Freiheit wandelte.

Zum Vorgehen

Die bisher skizzierten und angerissenen Aspekte werden unter vier theoretischen Perspektiven angegangen, die jeweils von einer spezifischen Frage begleitet werden. Dabei werden Positionen, Theorien, Einsichten und Studien in einem gemeinsamen Theoriedesign miteinander verbunden, um Antworten auf vier Fragen zu geben: Was ist charakteristisch für die postpolitischen Konstellationen? Wie gewinnen wir eine Perspektive auf Subjekte als soziale Akteure? Wie gestalten sich unser Wissen und unsere sozialen Erfahrungen? Und abschließend, wie finden wir zu einer tragfähigen Konzeption kooperativer Handlungsmacht?

Als Erstes macht die Redeweise der postpolitischen Konstellationen auf Veränderungen in der Wahrnehmung demokratischer Systeme aufmerksam. Um diese eingehender zu thematisieren, greife ich zeitgenössische Überlegungen zu postdemokratischen* und postpolitischen Zuständen auf. Dieser Ausgangspunkt wird um weitere Elemente ergänzt. Dies sind vor allem die soziologische Theorie der funktionalen Differenzierung der Gesellschaft und die theoretische Annahme, dass wir in einer postfundamentalistischen Gesellschaft leben. Mit den Ausführungen zu diesen Aspekten artikuliere ich die sozialen Bedingungen, unter denen sich politisches und kooperatives Handeln heute entfaltet.

Der fragende Ansatzpunkt des zweiten Kapitels dreht sich um die Position des Subjekts und die Frage, wo sich in modernen Theorien Zugriffsmöglichkeiten auf handelnde Subjekte eröffnen lassen. Die sprach- und zeichentheoretische Wende des 20. Jahrhunderts führte hier zu einer Leerstelle, welche die Position des politisch aktiven Subjekts zunächst unbesetzt ließ. Andere Problemstellen waren interessanter. Diesen Lückenschluss werde ich in der poststrukturalistischen und feministischen Theorie nachzeichnen. Bei Michel Foucault und Judith Butler lässt sich konzise angeben, wie ein derartiges Subjekt konstruiert werden kann. Ich verwende diese Ansätze, um herauszuarbeiten, wo sich Anknüpfungspunkte für eine widerständige soziale Praxis eröffnen. Butler und Foucault passen gut zu dem hier verfolgten Ansatz. Sie stehen beide der hegelschen Position nahe, dass wir immer schon in soziale Gemeinschaften involviert sind.

Die Frage nach der sozialen Handlungsmacht gelangt damit an den Punkt, wo sie sich der Produktion von Erfahrung und Wissen zuwendet. Handlungsmacht in der Auseinandersetzung mit der

Konstruktion inkludierender Muster sozialer Organisation zu betrachten, bedeutet, Zugriffsmöglichkeit darüber zu gewinnen, wie individuelles und kollektives Wissen konstruiert wird. Damit werden Fragen nach der sozialen Produktion von Erfahrung und Wissen interessant. Hier ist danach zu fragen, wie Subjekte ihre Erfahrung der Gesellschaft verarbeiten und inwiefern sie dies bei der Ausgestaltung ihrer solidarischen Interessen vielleicht schon behindert. Eine Antwort darauf findet sich bei François Dubet. Er führt uns mit seiner Theorie der sozialen Erfahrung zu dem Punkt, wo die individuelle Erfahrung der Gesellschaft nicht mehr in die kollektive Ausgestaltung der sozialen Praxis überführt wird. An dieser Stelle kommt Donna Haraway hinzu, die eine Theorie entworfen hat, die genau an diesem Punkt einsetzt. Sie überführt individuelle Erfahrungen in kollektive Perspektiven. Mit ihr kommt der wichtige Punkt ins Spiel, dass es sich dabei um die kollektive Formulierung normativer und jeweils in einer bestimmten sozialen Praxis situierter Wissensansprüche handelt. Dieser Aspekt wird abschließend mit Robert Brandoms Theorie des Inferenzialismus* konkretisiert: Es geht um die kollektive Formulierung normativer Wissensansprüche. Es geht um Politik und es geht um die Frage, wie wir uns kooperativ in verpflichtende Sozialbeziehungen einbringen können.

Der Entwicklung kooperativer Handlungsmacht steht allerdings ein starkes Hindernis entgegen, die neoliberale Besetzung der Klugheit. Wenn wir von klein auf in Richtung eines individualistischen und egoistischen Verhaltens getrimmt werden, ein Verhalten, das nach dem eigenen Vorteil sucht, um in einer Gesellschaft zu bestehen, die sich an Leistung orientiert und diese zum Gradmesser von persönlichem Erfolg macht, dann sind hier formierende Aspekte am Werk, denen mit einem einfachen Appell allein nicht mehr zu begegnen ist. Wir sind nicht plötzlich dumm geworden. Vielmehr wird unsere individuelle Fähigkeit zu klugem und überlegtem Handeln durch neoliberale Positionen in Beschlag genommen, was die kooperative Einsetzung einer solidarischen Praxis erschwert.

Der abschließend entworfene Ausblick richtet sich auf die Fundierung einer kooperativen Identität und die Herausforderungen einer kooperativen Handlungsmacht, die sich der neoliberalen Besetzung der Klugheit widersetzt. Diese kooperative Identität gründet in dem Streben nach einer kollektiven und kooperativen Praxis und in der Sorge um die Aufrechterhaltung des Gemeinwesens. Damit wird eine politische Verantwortung angesprochen, die alle mittragen. Dieses Modell hat Schwachstellen. Daher ist es wichtig, die sozialen Bedingungen normengeleiteten Handelns zu untersuchen, um die Wege individueller und kollektiver Handlungsmacht aufzuzeigen, mit der normative Ordnungen in einer kooperativen Praxis geändert werden können. Das ist Politik.

2 Postpolitische Konstellationen

Das erste Theoriedesign dieser Studie fokussiert sich auf die postpolitischen Konstellationen der Gegenwart. Sie werden vorrangig durch drei Elemente bestimmt, die in den folgenden Abschnitten angeführt werden. Dazu gehören zunächst die seit den 1990er Jahren aufkommenden Redeweisen von der Postdemokratie und der Postpolitik.[11] Sie kritisieren mit Elementen einer starken linken Polemik Entwicklungen in modernen Demokratien. Sie bemängelt unter anderem die fehlenden Orte der politischen Auseinandersetzung und die Abschottung der etablierten Politik gegenüber weitergehenden Formen der politischen Beteiligung. Mit dem Hinweis auf postpolitische oder postdemokratische Verhältnisse wird oftmals die Forderung nach stärkeren Formen der Einbindung in gesellschaftliche Prozesse geäußert. Diese Forderung ist eine doppelte. Sie fordert eine Verbesserung der gesellschaftlichen Beteiligungsmöglichkeiten an politischen Prozessen. Und sie fordert, dass die sozialen Akteure sich direkt in die politische Ausgestaltung der Gesellschaft einbringen.

Als zweites Element kommt die Theorie der funktionalen Differenzierung der Gesellschaft zu den postpolitischen Konstellationen hinzu. Mit dieser soziologischen Theorie, die unter anderem in Niklas Luhmanns Systemtheorie ausformuliert wurde, lässt sich die postdemokratische und postpolitische Kritik anders beurteilen. Eine mangelnde Beteiligung am Politiksystem muss demnach nicht unbedingt zu einer instabilen Gesellschaft führen. Die Theorie der funktionalen Differenzierung verdeutlicht vielmehr, dass gesellschaftliche Stabilität nicht mehr nur von einigenden oder einheitlichen Mustern sozialer Organisation abhängig ist. Vielmehr wirkt sich die Ausdifferenzierung in soziale Teilsysteme, die soziale Vielschichtigkeit und eine Pluralität von Begründungsansätzen stabilisierend auf die Gesellschaft aus. Diese Theorie stellt damit die umfassende Form der Kritik infrage, wie sie innerhalb postdemokratischer Positionen vertreten wird. Für die Politik postuliert sie eine gesamtgesellschaftliche Rolle, die sie innerhalb einer funktional differenzierten Gesellschaft eigentlich nicht mehr einnimmt.

Abschließend tritt als drittes Element noch die Auseinandersetzung mit fundamentalen Formen der Begründung zu den post-

11 Vgl. Crouch 2008, Rancière 1997a, Dahrendorf et al. 2002, Mouffe 2005.

politischen Konstellationen hinzu. In diesem Abschnitt greife ich den postfundamentalistischen Ansatz Oliver Marcharts auf, um den Aspekt der Letztbegründung in modernen Gesellschaften zu thematisieren. Marchart arbeitet heraus, dass wir zwar noch gesamtgesellschaftlich wirksame und bedeutende Werte und Normen haben. Allein es gibt keine einigenden Muster der Begründung mehr, die von allen Mitgliedern der Gesellschaft geteilt werden. Wichtig an dieser Position ist meiner Ansicht nach, dass mit diesem Befund die Suche nach einigenden Mustern der Begründung oder der sozialen Integration nicht hinfällig geworden ist. Sie ist nur schwieriger geworden. Die soziale Herausforderung ist es, einen gemeinsamen Umgang mit den fehlenden oder konfligierenden Horizonten der Begründung des Sozialen zu finden. Dies ist eine Aufgabe, die in kollektiven oder kooperativen Strukturen einfacher angegangen werden kann. Zuerst bedeutet sie aber mehr individuelle Arbeit in der Auseinandersetzung mit den Formen der Begründung des Sozialen.

Diese drei Elemente fügen sich zu den gegenwärtigen postpolitischen Konstellationen zusammen, in denen sich die Frage nach der individuellen oder kollektiven Handlungsmacht sozialer Akteure stellt. Hier treffen unterschiedliche Anforderungen aufeinander, denen im Einzelnen zu begegnen ist. Ihnen ist gemeinsam, dass sie für eine verstärkte Aktivität sozialer Akteure plädieren. Dies zeigt sich in den postpolitischen und postdemokratischen Ansätzen, wenn über die Repolitisierung von sozialen Räumen und Themen eine Repolitisierung der Gesellschaft angestrebt wird. Der hier konstatierten verringerten Einbindung sozialer Akteure in die sie bestimmenden politischen Prozesse wird auf Ebene der Theorie der funktionalen Differenzierung mit einer anderen Position begegnet. Politik ist nur ein gesellschaftliches Teilsystem und ein wichtiger Befund wird deutlich: Inklusion ist ein entscheidender Prozess, der über die Teilhabe an sozialen Teilsystemen entscheidet.

Die mangelnden Formen der Inklusion in politische Prozesse werfen operative Fragen innerhalb des gesellschaftlichen Teilsystems der Politik auf. Als Individuen sind wir zudem in dem Modell der funktionalen Differenzierung verstärkt darauf angewiesen, mehr für unsere Einbindung zu tun. Die Gesellschaft organisiert sich nicht mehr über durchgängige und umfassende

Muster sozialer Zugehörigkeit.[12] Marchart führt diesen Punkt dahin gehend weiter aus, dass es kein einheitliches Fundament der Gesellschaft mehr gibt, das von allen verbindlich geteilt wird. Wenn wir diese Fundamente haben wollen, dann müssen wir sie erschaffen. Die Auseinandersetzung mit den postpolitischen Konstellationen wirft uns dementsprechend auf die Suche nach individueller oder kollektiver Handlungsmacht zurück, als dem Motor für aktive Formen der sozialen Einbindung.

2.1 Postdemokratische und postpolitische Positionen

Neuen Begriffen ist mit Skepsis zu begegnen. Vor allem, wenn sie nur um eine Vorsilbe ergänzt werden. Es stellt sich sofort die Frage, ob mit der Silbe „post" wirklich etwas Neues ausgedrückt wird, oder ob nur eine abgeschwächte Form der Kritik des Bestehenden vorgebracht wird.[13] Anders gefragt, warum sollten es Postdemokratie und Postpolitik leichter haben als der kontrovers diskutierte Begriff der Postmoderne? Stehen diese Begriffe für eine Überwindung oder ein Ende von Demokratie und Politik? Wir leben doch in einer Demokratie und können uns politisch engagieren. Welchen Erkenntnisgewinn bringt dann die Verwendung der Vorsilbe „post"?

Die Begriffe Postpolitik und Postdemokratie sind zunächst einmal polemische Begriffe. Sie konstatieren für die bestehenden Demokratien einen Kontaktverlust mit ihren Gründungswerten und prophezeien als Bedrohungsszenario negative Entwicklungen hin zu oligarchischen oder aristokratischen Regierungsformen. In dieser Hinsicht ist die hiermit geäußerte Kritik an der Demokratie oder von demokratischen Regierungsformen nicht neu. Sie ist so alt, wie die Demokratie selbst – sie begleitet sie seit ihren Anfängen.[14]

Um diese Kritik genauer zu situieren, ist es angebracht daran zu erinnern, dass demokratische Modelle auf einem schlichten

12 Individualität ist für Luhmann nur eine „Folgelast der modernen, funktional differenzierten Gesellschaft", vgl. Luhmann 1997, S. 805.

13 Postfordismus und Postmoderne konnten sich als Analysekriterien in der Theoriebildung durchsetzen. Ob dies dem Begriff der Postpolitik oder Postdemokratie gelingt, ist noch offen, vgl. Richter 2006, S. 30. Ingolfur Blühdorn schlägt daher vor, die mit diesen Begriffen geäußerte Kritik, als eine postdemokratische Wende zu betrachten, die zu veränderten Politikstilen führt, vgl. Blühdorn 2006.

14 Vgl. Aristoteles, *Politik*, 1278b ff.

Grundkonsens beruhen: Alle können sich an den Entscheidungen beteiligen, enthalten sich in politischen Auseinandersetzungen der Gewalt und akzeptieren die in den politischen Prozessen erlangten Ergebnisse. Niemand muss sich übergangen fühlen, nur weil die politische Minderheit einen Entwurf nicht durchgesetzt hat. Denn jederzeit besteht die Möglichkeit, neue Mehrheiten zu formen, um politische Veränderungen anzustoßen.

Unter den Stichworten der Postdemokratie und Postpolitik vereinigt sich seit den 1990er Jahren eine Kritik, die diesen demokratischen Grundkonsens als gefährdet ansieht und sich für eine Stärkung demokratischer Elemente ausspricht. Als exemplarische Vertreter_innen dieser Kritik führe ich die Positionen Colin Crouchs und Jacques Rancières an, die diese Diskussion maßgeblich prägten, um einen Zugang zur Grundstimmung der postpolitischen Konstellationen zu eröffnen. Beide positionieren sich noch innerhalb eines demokratischen oder politischen Bereichs. Nur eben zu einem Zeitpunkt, nachdem bestimmte Erfahrungen gemacht wurden, die sie als Zäsur werten. Für beide ist die Silbe „post“ somit angebracht.

Crouchs Kritik an der Postdemokratie

Das Schlagwort der Postdemokratie wurde prominent von Colin Crouch in die politikwissenschaftliche Diskussion eingeführt, um wesentliche Kritikpunkte in der Diskussion um den gegenwärtigen Zustand der Demokratie zu benennen. Sein Gedanke hinter dem Begriff der Postdemokratie war es die Unterscheidung von Demokratie und Nicht-Demokratie aufzubrechen, um genauer über den gegenwärtigen Zustand der Demokratie zu debattieren.[15] Crouch präferiert dabei ein wenigstens dreiphasiges Modell, das zwischen vordemokratischen, demokratischen und postdemokratischen Zuständen unterscheidet.

> „Der Begriff Postdemokratie kann uns dabei helfen, Situationen zu beschreiben, in denen sich nach einem Augenblick der Demokratie Langeweile, Frustration und Desillusionierung breitgemacht haben; in denen die Repräsentanten mächtiger Interessengruppen, die nur für eine kleine Minderheit sprechen, weit aktiver sind als die Mehrheit der Bürger, wenn es darum geht, das politische System für die eigenen Ziele einzuspannen; in denen politische Eliten gelernt haben, die Forderungen der

15 Vgl. dazu Crouch 2008, S. 30.

Menschen zu lenken und zu manipulieren; in denen man die Bürger durch Werbekampagnen »von oben« dazu überreden muss, überhaupt zur Wahl zu gehen."[16]

Mit dieser Perspektive eröffnet sich für Crouch die Möglichkeit, die bestehenden liberalen Demokratien unter den Aspekten der Ausgrenzung von Bürger_innen von den getroffenen Entscheidungen zu analysieren.[17] Dabei thematisiert Crouch unter anderem die mangelnde Einbindung von Bürger_innen in politische Prozesse, setzt sich aber auch mit dem Problem des mangelnden Interesses an politischer Mitbestimmung auseinander. Besonders kritisch betrachtet Crouch zudem den schwindenden Einfluss der nationalen Politik gegenüber internationalen Organisationen. Hier wird eine Einflussnahme auf nationale Prozesse genommen, die ohne ausreichende demokratische Legitimation daherkommt, oder die gar nur dem Druck globaler Wirtschaftsinteressen geschuldet ist. In beiden Fällen führt dies zu postdemokratischen Problemfällen, weil die Einbindung aller Beteiligten nicht mehr vorgesehen ist.

Crouchs Kritik an der Postdemokratie erstreckt sich im Kern auf zwei Bereiche. Dies ist zum einen der Bereich der politischen Organisation der Gesellschaft. Hier wirken sich für Crouch besonders das Schwinden identitätsstiftender gemeinsamer politischer Projekte und das Fehlen einer ausgeglichenen Gewichtung politischer Debatten auf die Beurteilung der demokratischen Organisation der Gesellschaft aus. Zum anderen bilden die Verflechtungen von politischen und ökonomischen Beziehungen im politischen Tagesgeschäft und die Organisation der Politik unter den Bedingungen einer neoliberal ausgeprägten Globalisierung einen weiteren Bereich, den Crouch kritisiert.

Der erste Kernbereich dieser Kritik bemängelt den fehlenden sozialen Zusammenhalt innerhalb von Schicht- und Gruppenzugehörigkeiten.[18] Dies führt zu der politisch schwerwiegenden Konsequenz, dass es nicht mehr zur organisierten Artikulation von kollektiven politischen Zielen kommt. Arbeitende organisieren sich beispielsweise nicht mehr stark in Gewerkschaften, wodurch diese an politischer Durchsetzungskraft verlieren. Es verschwinden politische Ansprechpartner_innen. Die politische Repräsentation

16 Crouch 2008, S. 30.

17 Vgl. dazu und im Folgenden Crouch 2008, S. 30ff.

18 Vgl. dazu Crouch 2008, S. 71–90.

von Gruppen erschwert sich, wenn es keine Rückbindung mehr an eine soziale Basis gibt, die schicht- oder gruppenspezifische Interessen erst formuliert und in die Politik hineinträgt.

Für Crouch zeigt sich dieses Phänomen auch in der mangelnden Konturlosigkeit politischer Parteien, die versuchen, die Mitte der Gesellschaft zu repräsentieren.[19] Über die programmatische Besetzung dieser Mitte gleichen sich die dominierenden Parteien in ihren Programmen an. Dies kann als Reaktion auf mangelnde Schicht- oder Gruppenzugehörigkeit verstanden werden, aber auch als eine tiefer gehende Verstärkung der bereits bestehenden Tendenz, sich einer dezidierten politischen Haltung zu entziehen, die auf eine stärkere politische Konfrontation abzielt. Für die Wählenden entsteht der Eindruck, dass sich die politischen Parteien in ihrer Programmatik nicht mehr unterscheiden. Es macht keinen Unterschied, wer an der politischen Macht ist und welche Gruppen in der politischen Opposition sind. Für die politischen Parteien bedeutet die Besetzung der politischen Mitte der Gesellschaft, dass sie einen anderen Wahlkampf führen. Sie konzentrieren sich auf Personen und nicht mehr auf Inhalte. Ihre Wahlkampagnen entwickelten sich zu Materialschlachten der Werbebranche, in denen kontrovers diskutierte Themen untergehen.

Der zweite Kernbereich von Crouchs Kritik erstreckt sich auf die Relationen von Politik und Wirtschaft.[20] Unter den Bedingungen der Globalisierung bildeten sich verschiedene politische Verflechtungen von Politik und Wirtschaft heraus, die fernab von direkter demokratischer Beteiligung liegen. Die Handlungsfähigkeit nationalstaatlicher Parlamente wird durch diese Prozesse eingeschränkt. Über die Rechtsverbindlichkeit internationaler Abkommen wird nationales Recht ausgehöhlt und die Steuerungsfähigkeit nationaler Parlamente ausgehebelt. Zudem werden internationale Vertragsverhandlungen oft nicht mehr öffentlich geführt. Mechanismen der demokratischen Kontrolle, sei es nur durch die vierte Gewalt des Journalismus, greifen dadurch zum Teil gar nicht mehr. Es entsteht dadurch nicht nur der Eindruck, dass die politischen Positionen der nationalen Politik geschwächt werden, sondern dass diese Schwäche auch gezielt von

19 Vgl. dazu Crouch 2008, S. 91–100.
20 Vgl. dazu Crouch 2008, S. 45–70.

der global agierenden Wirtschaft genutzt wird, um nationale Gesetzgebungsprozesse zu umgehen.[21]

Es ist bereits gängige Praxis, das Vertreter_innen von Wirtschaftsverbänden die Ausformulierung von Gesetzen mitgestalten. Gesetzgebungsprozesse werden zum Teil stark von Lobbygruppen mitgestaltet. Innerhalb des politischen Gesetzgebungsverfahrens kommt es zu einer Bündelung von Interessen, die für die Betroffenen nicht immer transparent gestaltet ist. Weitere Effekte dieser engen Verknüpfung sind die beruflichen Wechselbeziehungen von Politik und Wirtschaft, wobei Wechsel von einem ins andere Lager nicht ungewöhnlich sind. Dieser Prozess ist an sich nicht verwerflich, da es häufig die Unternehmen sind, welche die Politik mit den wirtschaftlichen Folgen der Gesetzgebung konfrontieren. Aber in diesen Prozess wird die wirtschaftliche Macht der Unternehmen auch eingesetzt, um bessere wirtschaftliche Bedingungen für geplante Geschäfte zu erreichen.

Crouch stellt dieser negativen Auffassung vom Zustand der Demokratie die Lesart gegenüber, dass in etablierten Demokratien postdemokratische Verhältnisse kritisiert werden, weil es zu einem Zuwachs an politischen Forderungen gekommen ist, den etablierte politische Institutionen noch nicht in ausreichendem Maße aufgegriffen haben.[22] Demnach wäre der postdemokratische Zustand eine Situation, in welcher der weitere Ausbau des politischen Systems nur ins Stocken geraten ist, was aber kein Rückschritt bedeuten muss. Für Crouch ist diese Position allerdings nicht tragfähig, weil sie keine Stellung zur Macht der korporativen Eliten beinhaltet. Er erklärt diese Phänomene durch die einseitige Verschiebung der Auffassung dessen, was politisch aktive Bürger_innen ausmacht:

> „Auf der einen Seite gibt es das positive Modell des Bürgerstatus, dem zufolge Gruppen und Organisationen kollektive Interessen entwickeln, ihre Interessen und Forderungen selbständig artikulieren und an das politische System weiterleiten. Auf der anderen Seite steht der negative Aktivismus des Tadelns und Sich-Beschwerens, bei dem das Hauptziel der politischen Kontroverse darin besteht, zu sehen, wie Politiker zur Verantwortung gezogen werden, wie ihre Köpfe auf den Richtblock

21 Deutlich wurde dies zuletzt bei den Vertragsverhandlungen zum Transatlantischen Freihandelsabkommen TTIP.

22 Vgl. Crouch 2008, S. 20–24.

gelegt und ihre öffentliche und private Integrität peinlich genau überprüft wird. Diese beiden Konzepte der Rolle der Staatsbürger hängen eng mit zwei unterschiedlichen Interpretationen der Bürgerrechte zusammen. Die Vorstellung der positiven Rechte hebt die Fähigkeiten der Bürger, sich an ihrem Gemeinwesen zu beteiligen hervor: das Recht, zu wählen, das Recht, Organisationen aufzubauen und ihnen beizutreten, das Recht, exakte Informationen zu erhalten. Negative Rechte sind diejenigen, die das Individuum gegen andere schützen, insbesondere gegen den Staat: das Recht, Anklage zu erheben, sowie die Eigentumsrechte."[23]

Crouchs Ausführungen verdeutlichen, dass er von einem normativ besetzten Verständnis des Bürgers ausgeht, wenn er von postdemokratischen Entwicklungen spricht. Aber Crouch spricht nicht nur Effekte und Veränderungen innerhalb der politischen Kultur an, sondern auch Veränderungen innerhalb des politischen Systems, die dazu beigetragen haben, die Position von Bürger_innen zu unterminieren. In der angeführten Gegenüberstellung positiver und negativer Bürgerrechte dominieren unter postdemokratischen Verhältnissen die negativen Aspekte auf Kosten einer positiven Besetzung des Bürgerseins. Dies wäre für Crouch allerdings die Quelle von kreativen Energien, auf welche moderne Demokratien angewiesen sind.[24]

Die positiv besetzte Vorstellung aktiver Bürger_innen ist das Herzstück der politischen Kulturforschung.[25] Aber wer entspricht noch diesem Bild und hat sich diese Konzeption nicht auch gewandelt? Bereits Seymour Lipset hat in den 1960er Jahren hervorgehoben, dass die politische Interessenvertretung vornehmlich ein Projekt der gebildeten und einkommensstarken Schichten der Bevölkerung ist. Nicht die breite Masse der Bevölkerung ist durchweg politisiert, sondern es sind vornehmlich nur einzelne Teile der Bevölkerung, die sich stark politisch engagieren.[26] In gewisser Weise spiegeln sich in dieser Beobachtung die Konstellationen der antiken Demokratien wider, in der nur Vollbürger, sprich überwiegend weiße, freie und reiche Männer, an den demokratischen Prozessen teilnehmen konnten. In den liberalen

23 Crouch 2008, S. 22.

24 Vgl. Crouch 2008, S. 22f.

25 Dies war so bereits in den Studien von Almond und Verba angelegt, vgl. dazu Almond und Verba 1965.

26 Vgl. Böhnke 2011. Vgl. dazu ebenfalls Bödeker 2012, Schäfer 2010.

Demokratien der Gegenwart gibt es diese strikte Begrenzung nicht mehr. Aber auch hier ist auffällig, dass nach wie vor einzelne Bevölkerungs- und Berufsgruppen stärker in den Parlamenten vertreten sind als andere. Es kommt eben nicht zu einer breiten Politisierung der Massen, die sich als aktive Bürger_innen in die Ausgestaltung der parlamentarischen Demokratie einbringen.

Von der Postdemokratie zur Postpolitik

Neben der politikwissenschaftlichen Diskussion hat sich innerhalb der politischen Philosophie eine weitere Richtung der Kritik an den gegenwärtigen Demokratien entwickelt, die sich auf die Formen der politischen Auseinandersetzung fokussiert. Diese Position wird prominent von Jacques Rancière vertreten, der in den 1990er Jahren den Begriff der Postdemokratie prägte, um sich für eine Neugestaltung der politischen Streitkultur einzusetzen.[27] Rancière spricht von Postdemokratie, um eine konkrete Diskontinuität herauszustellen:

> „Die Post-Demokratie ist die Regierungspraxis und die begriffliche Legitimierung einer Demokratie *nach* dem *Demos**, einer Demokratie, die die Erscheinung, die Verrechnung und den Streit des Volks liquidiert hat, reduzierbar also auf das alleinige Spiel der staatlichen Dispositive und der Bündelung von Energien und gesellschaftlichen Interessen.“[28]

Für Rancière ist die postdemokratische Situation durch eine paradoxe Entwicklung gekennzeichnet: Über den im demokratischen Handeln angelegten Konsens kommt es zum Verschwinden der politischen Auseinandersetzung.[29] Konsens ist ein wesentliches Moment demokratischer Praxis. Rancière bemängelt daran allerdings, dass es ihn immer nur innerhalb etablierter Formen demokratischer Auseinandersetzung gibt. Rancière kritisiert dies, wenn er auf die einhegenden Mechanismen innerhalb der bestehenden Demokratien hinweist, die den Raum der möglichen politischen Auseinandersetzung begrenzen. Für eine demokratische Auseinandersetzung über die Organisation dieses Raumes gibt es

---

27 Vgl. Rancière 1995, 1997a und 1999.
28 Rancière 2002, S. 111.
29 Vgl. dazu und im Folgenden Rancière 2002, S. 111-113.

wenig bis keinen Platz mehr. Damit kommt es zum „Ende der Politik".[30] Es entstehen postpolitische Verhältnisse.

In *Der Hass der Demokratie* verweist Jacques Rancière darauf, dass die Krise der Demokratie kein neues Phänomen ist. Rancière zieht hier nicht nur die Verbindung zur antiken Demokratie, sondern stützt sich ebenfalls auf die Ergebnisse einer Studie zur *Krise der Demokratie* aus dem Jahr 1975.[31] Diese für die Trilaterale Kommission erstellte Forschungsarbeit von Michel Crozier, Samuel Huntington und Joji Watanuki untersuchte die politische Situation in den Vereinigten Staaten, West-Europa und Japan. Der krisenhafte Zustand der untersuchten Demokratien kommt vor allem in einer Hinsicht zur Geltung: Die demokratisch gewählten Regierungen werden vor allem durch den Anstieg demokratischer Forderungen gefährdet. Sie verlieren ihren Rückhalt in der Bevölkerung, sie verlieren an Autorität und sie geraten zunehmend unter politischen Druck. Das ist die Krise der Demokratie.[32]

Diese Studie liest sich wie eine Grundlegung neoliberaler Politik, wie sie später in den 1980er Jahren umgesetzt wurde. In den ausgearbeiteten Empfehlungen dieser Studie sind Wegmarken der kommenden politischen Wende bereits festgehalten. Die Studie spricht sich dafür aus, politische Maßnahmen zu ergreifen, um die Autorität demokratisch verfasster Regierungen wieder zu festigen, indem die demokratischen Forderungen der Bevölkerungen in Bahnen gelenkt werden, um den entstandenen politischen Exzess zu begrenzen. Diese Studie verdeutlicht damit, dass es ein wesentliches Interesse demokratischer Regierungen sein kann, die Formen der politischen Beteiligung zu begrenzen oder wenigstens zu steuern.

Was Rancière in seiner Auseinandersetzung mit dieser Studie allerdings nicht aufgreift, ist die in ihr enthaltene Kritik. Die Ergebnisse der Studie wurden innerhalb der trilateralen Kommission nicht durchweg kommentar- und kritiklos übernommen. Als kritische Gegenstimme wurden Ralf Dahrendorfs grundlegende Bedenken in den Appendix der Studie aufgenommen. Seine Bemerkungen zu lesen ist spannend, denn Dahrendorf entwickelt hier bereits Kernelemente der späteren Kritik am Neoliberalismus. Huntington wird eingehend von Dahrendorf dafür

---

30 Rancière 2008, S. 45.
31 Vgl. Rancière 2007, S. 6.
32 Vgl. Rancière 2010a, S. 46f und die Studie Crozier et al. 1975.

kritisiert, dass er den Wunsch nach direkter Partizipation nur als demokratische Herausforderung der Autorität begreift.[33] In seinen Bemerkungen hinterfragt Dahrendorf die insinuierte enge Verbindung von demokratischer und wirtschaftlicher Entwicklung. Er fragte die Mitglieder daher, ob es in der Zukunft nicht auch um andere Formen des Wachstums gehen müsse. Seine Überlegungen zu den problematischen Konstellationen der Demokratie führt Dahrendorf wie folgt zusammen:

> „Die größere Nachfrage nach Partizipation, die Beseitigung wirksamer politischer Räume von der nationalen auf die internationale Ebene und die Aufhebung der Macht, die Lebenschancen der Menschen zu bestimmen von politischen Institutionen zu anderen Institutionen, sind alles Anzeichen dafür, was man die Auflösung nennen könnte, vielleicht die Verwässerung der allgemeinen politischen Öffentlichkeit, von der wir annahmen, dass sie in der Vergangenheit die wirkliche Grundlage demokratischer Institutionen war. Anstatt einer wirksamen politischen Öffentlichkeit in demokratischen Ländern, aus der repräsentative Institutionen hervorgehen und denen die Repräsentanten verantwortlich sind, gibt es eine fragmentierte Öffentlichkeit, zum Teil eine nicht existierende Öffentlichkeit."[34]

Diese Aussage aus dem Jahr 1975 umschreibt die Kernbereiche der heute unter dem Stichwort der Postdemokratie firmierenden Kritik. In seinen Ausführungen hebt Dahrendorf direkt hervor, dass in Zukunft nicht nur die Effektivität, sondern auch die demokratische Qualität der internationalen Politik zu steigern ist.[35] Für Dahrendorf muss eine Form der Öffentlichkeit denkbar werden, die nicht nur aus repräsentativen parlamentarischen Institutionen besteht, sondern mit Institutionen verbunden ist, die weder repräsentativ noch parlamentarisch sind. Diese Entwicklung hat sich über den zivilgesellschaftlichen Bereich der Nichtregierungsorganisationen mittlerweile verfestigt und normalisiert. Gewachsen ist aber auch der ökonomische Einfluss auf die Politik, der ebenfalls unter diese Sparte fällt, dem aber Elemente einer partizipativen Demokratie abgehen.

Rancière geht nicht auf die kritischen Hinweise von Dahrendorf ein. Er fokussiert sich vielmehr auf den Hauptteil der Studie und

33 Vgl. Crozier et al. 1975, S. 190.
34 Crozier et al. 1975, S. 189.
35 Vgl. Crozier et al. 1975, S. 192.

die durch Huntington aufgestellte Behauptung, dass das demokratische Leben, die stärkste Gefahr für die demokratischen Regierungen darstelle. Für Rancière zeigt sich darin deutlich, dass sich die demokratischen Forderungen gegen die Politik behaupten müssen, dass es neue Wege geben muss, um demokratische Forderungen zu stellen, jenseits der angebotenen Wege demokratisch instituierter Politik.[36] Deswegen verlegt Rancière seinen kritischen Schwerpunkt auf die Revitalisierung politischer Streitkultur.

> „Der politische Streit ist derjenige, der die Politik existieren lässt, indem er sie von der Polizei trennt, die sie beständig verschwinden lässt: sei es, indem sie sie schlicht und einfach verneint, sei es, indem sie deren Logik mit der ihr eigenen gleichsetzt. Politik ist zuerst eine Intervention in das Sichtbare und das Sagbare."[37]

Die Polizei und auch die Logik der Polizei stehen bei Rancière für die festgefahrene Ordnung des demokratischen Konsenses. Damit charakterisiert er die bestehende symbolische Konstitution des Sozialen, mit ihren Institutionen, Regeln und Normen, als einen Ort, der keine politische Funktion mehr erfüllt.[38] Er benutzt das Wort Polizei, um die gefestigte soziale Ordnung zu benennen, in der Macht und Legitimation in einer Aufteilung des Sinnlichen verteilt sind. Rancière redet von Polizei, um den ordnungsrechtlichen Aspekt auszudrücken, der in solch einer Aufteilung des Sinnlichen zum Tragen kommt. Diese Aufteilung hat für Rancière eine doppelte Funktion: Sie organisiert Differenz und Exklusion und sie ist das ordnende Moment, wodurch Teilhabe erst möglich wird.[39]

Die Logik der Polizei stellt keine Mittel bereit, mit denen sie kritisiert oder verändert werden kann. Als regulatorische Funktion des Sozialen wird ihre Aufteilung des Sinnlichen nicht mehr hinterfragt. Aber gerade hier liegt für Rancière der wesentliche Kern des Politischen. Es muss die Möglichkeit zum politischen Streit geben. Nur so werden diejenigen in die Diskussion aufgenommen, die als Ausgeschlossene keinen Platz in der bestehenden Aufteilung des Sinnlichen fanden. Nur so wird sicht-

---

36 Vgl. Rancière 2010a, S. 46f.

37 Rancière 2008, S. 32.

38 Vgl. Rancière 2010b, S. 36 und Rancière 1997b.

39 Vgl. Rancière 2008, S. 31.

bar gemacht, was bisher keinen Platz in der Aufteilung des Sinnlichen hatte:

> „Das Wesentliche der Politik ist der *Dissens*. *Dissens* ist nicht die Konfrontation der Interessen oder Meinungen. Er ist die Demonstration eines Abstands des Sinnlichen zu sich selbst. Die politische Demonstration bringt zu Gesicht, was keine Gründe hatte gesehen zu werden, sie beherbergt eine Welt in einer anderen, zum Beispiel die Welt, in der die Fabrik ein öffentlicher Raum ist, in der derjenigen wo sie ein privater Raum ist, die Welt, in der die Arbeiter sprechen und von der Gemeinschaft sprechen, in derjenigen, in der sie schreien, um ihren alleinigen Schmerz auszudrücken."[40]

Der Dissens ist kein Streit um Interessen anhand derer sich eine strikte Gegnerschaft von Positionen entfaltet. Der Dissens macht vielmehr die bestehende Aufteilung des Sinnlichen sichtbar.[41] Rancière geht es damit um die Auseinandersetzung mit den dominierenden Unterscheidungen, entlang derer sich das politische und soziale Leben organisiert.

2.2 Ausweitung des postpolitischen Horizonts

Entgegen der politikwissenschaftlichen Auseinandersetzung zur Postdemokratie bei Crouch kann bei Rancière von einer postpolitischen Debatte aus dem Bereich der politischen Philosophie gesprochen werden. Unter dem Schlagwort der Postpolitik finden Positionen zusammen, die sich auf die Trennung von Politik und Politischem stützen.[42] Das Politische soll bei ihnen neu besetzt werden, um sich gegen die sozialen Auswirkungen postdemokratischer Situationen zu stellen. Wie bei allen modernen theoretischen Post-Bewegungen gibt es auch in der postpolitischen Debatte kein klar umrissenes Feld einer einheitlichen Theoriearchitektur. Aber es gibt überschneidende Gemeinsamkeiten. Zum einen ist es eine akademische Diskussion, die in dem Bereich der

40 Rancière 2008, S. 35-36. Hervorhebung im Original.

41 In dieser Darstellung des Dissenses und des Politischen wird ersichtlich, das sich Rancière auf ein von Carl Schmitt abweichendes Konzept des Streits richtet. Rancière zielt nicht auf die strikte Feindschaft ab, wie dies bei Schmitt zu finden ist. Für Rancière ist das Sichtbarwerden bestehender Aufteilungen des Sinnlichen bedeutsam, in denen sich die gefestigte Polizeilogik zeigt, gegen die nicht mehr politisch vorgegangen werden kann.

42 Vgl. Rancière 1997a, Žižek 2001, S. 272–282, Mouffe 2005.

politischen Philosophie geführt wird. Sie lässt sich oftmals einer radikalen linken Position zuordnen, der die jeweilige politische Argumentation folgt. Zum anderen handelt es sich um ein emanzipatorisches Denken, das sich um soziale Gerechtigkeit und Gleichheit dreht und zumeist aus einem poststrukturalistischen Theoriefeld kommt. Dabei wird mit dem Fokus auf dem Politischen der Versuch unternommen, neue radikale Perspektiven innerhalb der politischen Dimensionen der Gesellschaft zu entwerfen.

Im Folgenden werde ich die Diskussion um die derzeitige politische Situation und Streitkultur um zwei weitere Überlegungen ergänzen. Dies ist zum einen die Theorie der funktionalen Differenzierung der Gesellschaft und zum anderen die These der postfundamentalistischen Gesellschaft. Sich an dieser Stelle mit der funktionalen Differenzierung der Gesellschaft auseinanderzusetzen ist sinnvoll, um die bisher geführte Debatte zu den postpolitischen Konstellationen in einen erweiterten Kontext zu überführen. Diese Ausweitung verdeutlicht vor allem, dass Politik nur ein Teilsystem der Gesellschaft ist. Sie verdeutlicht zudem, dass Politik als ein System verstanden werden kann, das unabhängig von inhaltlichen Vorgaben funktioniert.

Die sozialwissenschaftliche Theorie der funktionalen Differenzierung betrachtet nicht das Handeln individueller Akteure, sondern schaut auf die strukturellen Aspekte sozialer Differenzierungen. Aber in Auseinandersetzung mit dieser strukturellen Perspektive wird deutlich, dass hier Anforderungen bestehen, auf die soziale Akteure reagieren müssen. Eine dieser Anforderungen werde ich mit dem von Marchart postulierten Wandel zu einer postfundamentalen Gesellschaft ansprechen. Mit dieser Theorie richtet sich Marchart explizit gegen die Versuche einer fundamentalen Letztbegründung zur Durchsetzung einer sozialen Einheit der Gesellschaft. Damit verweist Marchart auf einen wesentlichen Punkt der späteren Auseinandersetzung: auf das Fehlen verbindlicher Muster sozialer Integration. Und auf die daraus resultierende Zunahme der individuellen Anstrengungen sozialer Akteure.

Die funktional differenzierte Gesellschaft

Für Armin Nassehi ist die Theorie der funktionalen Differenzierung der Gesellschaft das „dienstälteste und schon deshalb elaborierteste Konzept soziologischer Gesellschaftstheorie"[43]. Sie findet sich in den Anfangstexten der Sozialwissenschaft wieder und beschreibt bereits dort den Wandel von einer stratifikatorisch unterschiedenen Gesellschaft zu einer funktional differenzierten Gesellschaft. In stratifikatorisch unterschiedenen Gesellschaften war die Position in einer sozialen Schicht ausschlaggebend für die eigenen Optionen. Mit der funktionalen Differenzierung wird diese Schichtung nicht aufgehoben, aber ihr Stellenwert für die eigene Position wandelt sich. Es gibt nicht mehr nur die uns beeinflussenden Kontexte schichtspezifischer Zugehörigkeiten, sondern es gibt komplexe Teilsysteme der Gesellschaft, in denen Zugehörigkeit jeweils eigenständig organisiert wird. Zu diesen Systemen gehören Politik, Wissenschaft, Erziehung, Wirtschaft, Recht, Kunst, Religion, Moral und weitere eigenständige Teilsysteme.

Der entscheidende Punkt für Nassehi ist, dass sich die Gesellschaft zu einem Ort der „Gleichzeitigkeit des Unterschiedlichem"[44] wandelt. Innerhalb gesellschaftlicher Teilsysteme finden voneinander unabhängige Operationen statt, die gegenläufige Tendenzen hervorbringen können und die vor allem auch widersprüchlich zueinander sein können. Moralisch oder religiös motivierte Diskussionen werden in den Teilsystemen der Religion, Politik und Erziehung zu unterschiedlichen und auch voneinander abweichenden Ergebnissen führen. Dieses gleichzeitige Auftreten von widerstreitenden oder widersprüchlichen Tendenzen verdeutlicht, wie schwierig es geworden ist, von einer Einheit der Gesellschaft zu sprechen. Es gibt nicht mehr eine einheitliche Gesellschaft, von der sich dann einzelne Teilsysteme unterscheiden lassen. Sondern hier finden vielmehr Prozesse einer zunehmenden funktionalen Ausdifferenzierung statt. Für Niklas Luhmann geht es hier ebenfalls nicht mehr um die Suche nach einem einheitlichen Ganzen. Er interessiert sich vorwiegend für die Operationen innerhalb gesellschaftlicher Teilsysteme. Sie ergänzen sich nicht zu einer gesellschaftlichen Totalität, sondern sie erlauben es nur, die Gesellschaft aus ihrer jeweiligen Perspektive zu beschreiben.[45]

43 Nassehi 2004, S. 98. Vgl. dazu und im Folgenden ebd. S. 98-118.

44 Nassehi 2004, S. 104.

45 Für Luhmann ergeben sich diese Perspektiven aus den Leitdifferenzierungen der Teilsysteme. Für das Recht ist dies die Unterscheidung von Recht/Unrecht, für Politik die von Regierung/Opposition,

Mit Luhmann wird hier eine alternative Haltung gegenüber den in der Postpolitik und der Postdemokratie ausgedrückten Haltungen greifbar: Politik und Öffentlichkeit stehen sich gegenüber und sind systemtheoretisch zu unterscheiden. Legt man die Theorie der funktionalen Differenzierung an das gesellschaftliche Teilsystem Politik an und nimmt die Kritik an der gegenwärtigen Demokratie vonseiten der Postdemokratie und Postpolitik auf, dann wird deutlich, dass hier normative Erwartungen an einen gesellschaftlichen Teilbereich angelegt werden, die nur bedingt vom politischen System erfüllt werden können. Denn neben der Politik gibt es weitere funktional differenzierte Teilsysteme der Gesellschaft, die diese normativen Erwartungen aufgreifen, in ihren gesellschaftlichen Teilbereich integrieren und dabei um Geltung und Legitimation streiten. Wirtschaft, Religion, Kunst, Politik und Erziehung greifen als gesellschaftliche Teilsysteme auf jeweils verschiedene Art und Weise in gesamtgesellschaftliche Auseinandersetzung ein und eröffnen jeweils eigenständige Umgangsweisen gegenüber normativen Erwartungen.

Der gesellschaftliche Streit um Legitimation und Geltung trägt dazu bei, dass ein Thema in verschiedenen Teilbereichen differenziert aufgenommen und behandelt wird. Es gibt keine einheitlichen Vorgaben für alle gesellschaftlichen Teilbereiche, sondern jeweils nur verschiedene Perspektiven und Lösungsvorschläge zu einer aufgeworfenen Fragestellung. Auf diese Weise kann die Theorie der funktionalen Differenzierung der Gesellschaft mit der Einsicht umgehen, dass sich Gesellschaften nicht mehr über eine Perspektive auf das Ganze strukturieren.

Für die gesamte Gesellschaft ist dies ein positiver und stabilisierender Prozess: Die Gesellschaft ist stabiler geworden, weil sie nicht mehr durch einseitige Beeinflussung oder Vereinnahmungen dominiert werden kann.[46] Die „Gleichzeitigkeit des Unterschiedlichen“ sorgt dafür, dass nicht mehr abzusehen ist, wie andere Teilbereiche reagieren. Auch können nicht mehr einfach entlang entscheidender und gesellschaftlich dominierender Konfliktlinien Ressourcen mobilisiert werden, die in die eine oder

---

für die Wirtschaft Haben/Nicht-Haben und für die Wissenschaft die Unterscheidung von wahr/falsch. Systeme, die nicht nach diesen Leitdifferenzierungen unterscheiden, können nicht miteinander kommunizieren.

46 Vgl. Baecker 2003.

die andere Richtung drängen. Dies ist immer noch möglich, nur ist es dann ein Prozess, der sich in verschiedenen Teilbereichen der Gesellschaft ankündigt.

Für individuell und kollektiv Handelnde führt die funktionale Differenzierung zu einem gegenteiligen Phänomen. Sie sind mit dem Problem konfrontiert, dass die geteilten Muster der sozialen Einbindung innerhalb funktional differenzierter Gesellschaften sinken und an Stellenwert verlieren. Aus ihrer Perspektive erscheint die Stabilität der Gesellschaft als schwach. Es gibt keine verbindlichen Lebenswege mehr. Für sie wird es schwieriger sich in der Gesellschaft zu orientieren, zu entwickeln und einen anerkannten Platz zu finden. Sie müssen unter diesen Konstellationen Legitimation und Geltung erst noch mobilisieren. Hier wird deutlich, dass die gesellschaftliche Ausdifferenzierung mit einer entsprechenden Ausdifferenzierung der individuellen Lebensentwürfe einhergeht, wodurch die gesellschaftlichen Formen des Austauschs über die soziale Erfahrung und die normative Ausrichtung der Gesellschaft sinken.

Mit dieser Theorie wird die Gesellschaft als inhaltslose Ordnung zugänglich, in der sich verschiedene Vorstellungen von sozialer Gerechtigkeit und Gleichheit instituieren lassen. Das ist eine ihrer wesentlichen Stärken. Sie erlaubt es, die gesellschaftliche Ordnung unabhängig von normativen Erwartungen zu betrachten. Aber diese funktionale Betrachtung sensibilisiert nur unzureichend für die Folgen systemischer Ausdifferenzierung. Vonseiten der Theorie funktionaler Differenzierung wird hier die Frage von sozialer Inklusion und Exklusion virulent.

Luhmann findet eine nur bedingt befriedigende Antwort auf den Umgang mit sozialer Ungleichheit. Er führt dieses Problem an, thematisiert es aber nur bedingt. Letztlich hat soziale Ungleichheit keine soziale Funktion innerhalb einer funktional differenzierten Gesellschaft:

> „Die Gesellschaftstheorie hätte sich eher für die Frage zu interessieren, wie es kommt, dass nach wie vor krasse Unterschiede der Lebenschancen reproduziert werden, auch wenn die Differenzierungsform der Gesellschaft darauf nicht mehr angewiesen ist. Die Antwort lautet: dass dies offenbar ein Nebenprodukt des rationalen Operierens der einzelnen Funktionssysteme ist, und vor allem: des Wirtschaftssystems und des Erziehungssystems. Diese Systeme nutzen kleinste

> Unterschiede (der Arbeitsfähigkeit, der Kreditwürdigkeit, des Standortvorteils, der Begabung, Diszipliniertheit etc.), um sie im Sinne einer Abweichungsverstärkung auszubauen, sodass selbst eine fast erreichte Nivellierung wieder in soziale Differenzierungen umgeformt wird, auch wenn dieser Effekt keinerlei soziale Funktion hätte."[47]

Für Luhmann haben sich zwar die Differenzierungsformen der Gesellschaft verändert, aber damit wurden nicht die sozialen und ökonomischen Unterschiede sozialer Schichtungen beseitigt.[48] In Bezug auf die einzelnen gesellschaftlichen Teilsysteme ist daher jeweils zu beachten, wie in ihnen Inklusion und Exklusion geregelt wird. Die Mechanismen des Wirtschafts- und des Erziehungssystems sind hier von einschneidender Bedeutung, weil sie zur Ausbildung von starken Formen der asymmetrischen Exklusion beitragen. Wer keine gute Ausbildung hat, bekommt Probleme im Wirtschaftssystem. Es kann keine absolute Reduktion ausgrenzender Regulationen geben. Abgrenzung ist ein wesentlicher Aspekt der Systembildung. Aber letztlich braucht es offene Zugänge für alle und inkludierende Mechanismen, die Formen sozialer Ausgrenzung entgegenwirken.

Postfundamentale Gesellschaft

Moderne Gesellschaften verhandeln Legitimation in Diskursen. Am einfachsten entzieht man sich dem Problem der Legitimation im Rückgriff auf stabile Fundamente. Das ist so. Basta! Die Legitimation derart konstruierter Argumente gerät in der Moderne allerdings ins Wanken. Nicht wenige werden Schwierigkeiten damit haben, eine derartig vorgetragene Begründung als Argument anzuerkennen. Mit der soziologischen Beschreibung der funktional differenzierten Gesellschaft ist nicht einmal mehr gesichert, dass die einzelnen sozialen Teilsysteme noch zu einem übereinstimmenden Ergebnis gelangen. Diskursive Versuche des Begründens werden damit nicht aufgegeben. Sie nehmen eher noch zu. Es wird lediglich stärker infrage gestellt, ob es weiterhin abschließende Formen der Letztbegründung geben kann. Marchart, der diese postfundamentale Diskussion mitgeprägt hat, drückt dies wie folgt aus:

---

47 Luhmann 1997, S. 774.
48 Vgl. Luhmann 1997, S. 772.

> „Die ontologische Schwächung des Grundes führt nicht zu der Annahme der völligen Abwesenheit aller Gründe, sondern vielmehr zur Annahme der Unmöglichkeit eines *endgültigen* Grundes, was etwas ganz anderes ist, denn es impliziert einerseits ein gesteigertes Bewusstsein auf der einen Seite von Kontingenz und auf der anderen Seite dem Politischen, als dem Moment partieller und in letzter Instanz immer erfolgloser Gründung.“[49]

Für Marchart ist dies keine Absage an Versuche des Begründens. Er grenzt sich dementsprechend von antifundamentalistischen Annahmen ab, die Formen des Begründens an sich ablehnen.[50] Die von ihm konzipierte Theorie der postfundamentalen Gesellschaft fokussiert sich auf die Analyse des gesellschaftlichen Umgangs mit den schwindenden Möglichkeiten der Letztbegründung. In der Konsequenz führt dieses Schwinden für Marchart dazu, dass es unmöglich wird, die Gesellschaft als Einheit zu beschreiben. Vielmehr gehe es jetzt darum, ihre „kontingent-konflikthafte Natur“ zu beschreiben, auch wenn dies nur „partiell und vorübergehend“ möglich sei.[51]

Marchart wendet sich ebenfalls den Spannungen zwischen der instituierten Politik und den Aushandlungsprozessen des Politischen zu. Mit der funktionalen Differenzierung der Gesellschaft wurde bereits ersichtlich, dass politische Themen nicht mehr nur in der Politik diskutiert werden. Die Ordnung der Gesellschaft ist nicht mehr allein der Politik überlassen. Marchart sieht in den postdemokratischen oder postpolitischen Theorien den Versuch, ein „postfundamentalistisches Denken des Politischen“ zu etablieren.[52] Er analysiert die Spannung zwischen der Politik und dem Politischen unter der Perspektive der politischen Differenz.[53] Diese Differenz lokalisiert Marchart zwischen divergierenden und fundamentalen Bestrebungen des Bewahrens und Veränderns. Er fügt dem allerdings einen weiteren Gedanken hinzu, wenn er darauf verweist, dass sich diese politische Differenz mit der Absage an die

---

49 Marchart 2007, S. 2. Hervorhebung im Original.

50 Einem strikten Antifundamentalismus ist mit dem Satz des Widerspruchs beizukommen. Wer sich fundamental gegen die Möglichkeit von fundamentalen Annahmen ausspricht, verstrickt sich in Widersprüche, vgl. dazu Marchart 2007, S. 11–13.

51 Vgl. Marchart 2013, S. 13.

52 Vgl. Marchart 2013, S. 11.

53 Vgl. Marchart 2007, S. 1.

Unmöglichkeit von Letztbegründungen verbindet. Marchart spricht dazu von einer Dislokation des Begründungshorizontes, um die Entwicklung eines radikalen Konzeptes des Politischen von der Politik abzugrenzen.[54] Er nimmt ebenfalls das Phänomen der Kontingenz in seine Überlegungen mit auf, ohne dass sich moderne Gesellschaften nicht mehr erschließen lassen. Damit stellt er heraus, dass es keine absoluten Fundamente der demokratischen Gesellschaft mehr gibt. Vielmehr ist es eines ihrer Kennzeichen geworden, dass demokratische Politik postfundamental sei:

> „Wir begegnen wieder dem Paradoxon notwendiger Kontingenz, diesmal im Bereich der Demokratietheorie: Demokratie muss Kontingenz akzeptieren, d. h. das Fehlen eines endgültigen Fundaments der Gesellschaft, als einer notwendigen Vorbedingung. Andernfalls kann sie legitimerweise nicht Demokratie in einem starken Sinne genannt werden. In Kürze: nicht jede postfundamentale Politik ist demokratisch, aber jede demokratische Politik ist postfundamental."[55]

Wenn Marchart sich gegen die Möglichkeit einer Letztbegründung des Politischen oder des Sozialen stellt, dann bedeutet dies für ihn, dass es keine finale Begründung für eine bestimmte inhaltliche Ausgestaltung der Gesellschaft mehr gibt. Zumindest keine, die nicht revidierbar wäre. Es gibt weiterhin regulierende Normen, die auf kollektiv geteilten sozialen Erzählungen basieren. Aber sie können als verbindliche Punkte der Referenz keine finale Absolutheit mehr beanspruchen. Begründungen basieren nur noch auf kontingenten, begrenzten und hybriden Konstellationen. Die Organisation sozialer Zugehörigkeiten bleibt damit ein großes Konfliktfeld.

2.3 Impulse der postpolitischen Konstellationen

Marcharts These der postfundamentalen Gesellschaft erinnert an das in der bundesrepublikanischen Politikwissenschaft bekannte Böckenförde-Diktum: Die moderne Gesellschaft kann ihre eigene Basis nicht legitimieren. Dazu fehlen ihr die Mittel.[56] Dies bedeutet nicht, dass sich keine Begründungen für die Demokratie oder die Gesellschaft mehr formulieren ließen. Nur ist der Versuch einer Letztbegründung nicht mehr in einem absoluten Sinn zu verstehen,

54 Vgl. Marchart 2007, S. 57.
55 Marchart 2007, S. 158.
56 Vgl. Böckenförde 1976, S. 60.

sondern nur als kontingenter Versuch die eigene soziale Erfahrung der Gesellschaft zu erfassen, um in strukturierenden Vereinbarungen und etablierten Verfahren zu leben. Es gibt Gründe für eine bestimmte Wahl. Sie sind argumentativ und inferenziell* strukturiert. Sie verweisen aufeinander und geben sich dadurch eine soziale oder politische Relevanz.[57] Aber sie sind nicht unbedingt zwingend. Dies ist für mich eine der Konsequenzen der postpolitischen Konstellationen.

Um dieser Schwierigkeit entgegenzuwirken, besteht grundsätzlich die Option, die Politik mit starken normativen Erwartungen aufzuladen. Das ist immer dann der Fall, wenn soziale oder kulturelle Vorstellungen zum Inhalt *einer* Politik gemacht werden. Zum Inhalt einer Politik, die nicht mehr verhandelt werden soll. Dies entspricht dem Versuch einer Vereinnahmung der Politik durch moralisch gefestigte Positionen, um einem angeblichen Mangel an gesellschaftlicher Einbindung entgegenzuwirken. Ethische und moralische Prinzipien als politische Leitlinien zu nehmen erleichtert dann die innergesellschaftliche Orientierung. Einzelne Positionen werden damit nicht mehr im politischen Streit ausgetragen, sondern als feste Überzeugungen in die Politik eingeführt, um die mangelnden Formen der Einbindung in die Gesellschaft zu ersetzen. Damit wird in verschiedenen Teilbereichen der Gesellschaft eine Vorhersehbarkeit geschaffen, welche der Kontingenz gesellschaftlicher Prozesse entgegengestellt wird.

Die entscheidende Beobachtung der Soziologie besteht hier meiner Ansicht nach darin, dass Gesellschaften mit schwachen Formen der Einbindung stabiler sind als solche mit strikteren Formen der sozialen Einbindung.[58] Dies ist nur zunächst ein Paradox. Warum sollte etwas, dass nur über schwache Bindungen verfügt stabiler sein als etwas, das über striktere Bindungen verfügt? Die Antwort gründet darin, dass es in einer Gesellschaft mit schwachen Formen der Einbindung schwieriger ist, politische Mehrheiten dahin zu organisieren, durchweg negative Auswirkung umzusetzen. Funktional differenzierte Gesellschaften sind stabiler, weil in ihnen der Einfluss von ordnenden Rastern linearer Inklusion abgenommen hat. Eine linear verlaufende Inklusion setzt in der Regulierung sozialer Zugehörigkeit auf wenige dominierende Merkmale, wie Nation, Ethnie, Alter, Geschlecht oder soziale

57 Vgl. dazu das spätere Kapitel 4.3.

58 Vgl. Baecker 2003.

Herkunft. In diesen Fällen wirkt lineare Inklusion stärker einschränkend, weil sie einen umfassenden Weg der sozialen Ausgrenzung eröffnet und einer progressiven Steuerung der sozialen Einbindung und Teilhabe entgegensteht.

In modernen und funktional differenzierten Gesellschaften organisiert sich Inklusion nicht mehr ausschließlich entlang linearer Muster. Sie gestaltet sich zunehmend inferenziell. Diese inferenzielle Inklusion verläuft gleichzeitig auf mehreren Ebenen und innerhalb verschiedener Teilsysteme, wodurch der Zuwachs an Stabilität erklärt werden kann. Damit ist lineare Inklusion nur noch bedingt als ordnende Option greifbar, weil sich prinzipiell abweichende Ordnungen sozialer Inklusion eröffnen.

In modernen Gesellschaften, in denen Identifikation vielschichtig und über verschiedene Kontexte verläuft, kommt es nicht mehr auf einzelne Bilder, nationale Mythen oder dominierende Narrationen an. Hier müssen vielmehr die einzelnen Handelnden mit dem Spagat zwischen gemeinsamen Vorstellungen und sozialen Distinktionsbedürfnissen umgehen. Stabilität entsteht hier nicht mehr aus der Verbindlichkeit einer linearen und stringenten Ordnung geteilter Bilder und Vorstellungen. Sie entsteht aus der Vielschichtigkeit verschiedener miteinander konfligierender Vorstellungen von Gesellschaft und der gelebten sozialen Praxis.

Ein strikter Kanon einseitig motivierter Werte und Einstellungen steht für Eintönigkeit und Ausgrenzung und nicht für Demokratie, Freiheit, Gleichheit und Offenheit. Die strikten Formen der Abgrenzung von nationalen Kulturen und die Abwehr gegenüber Aspekten, die nicht zu diesem Kreis gehören, steht nicht für Stabilität und Sicherheit, sondern für Ausgrenzung und Instabilität. Die Zunahme an kulturellen, religiösen, moralischen und politischen Identifikationsangeboten ist keine Gefahr, steht nicht für ein Abdriften in Beliebigkeit, sondern für eine stabile funktionierende Gesellschaft. Gesellschaften, die ihren Rändern, ihren Subkulturen und ihren Ausgegrenzten keine Wege der sozialen Teilhabe eröffnen, können sich nicht als stabil verstehen. Die mannigfaltigen Wege der Ausgrenzung führen vielmehr zu einem Schwinden des gesellschaftlichen Pluralismus, wodurch die Stabilität der Gesellschaft gefährdet wird.

Die Herausforderung besteht hier darin, in der sich eröffnenden Mannigfaltigkeit eine Bereicherung zu sehen. Wenn eine Letztbegründung nicht mehr möglich ist, bedeutet dies nicht den Verzicht darauf, für die eigenen Positionen zu einstehen. Die Ausführungen zum Postfundamentalismus, die an das Ende der großen Erzählungen anschließen, bedeutet nicht, dass es keine Möglichkeit des Begründens mehr gibt. Nur gilt es zu beachten, wie Begründungen konstruiert werden. Josef Früchtl verweist dazu auf ein von Richard Rorty und Isaiah Berlin verwendetes Zitat Josef Schumpeters, das diesen Moment hervorhebt:

> „Die Einsicht, dass die Geltung der eigenen Überzeugungen nur relativ ist, und dennoch unerschrocken für sie einzustehen, unterscheidet den zivilisierten Menschen vom Barbaren."[59]

Diese Forderung enthält den Gedanken, die postfundamentalen Abgründe der eigenen Positionen mitzudenken, um nicht in die Abgründe reiner Identitätspolitik* abzugleiten, die diesen Aspekt außer Acht lassen. Identitätspolitik wird zur Barbarei, wenn sie sich selbst als nicht hinterfragbar setzt, wenn sie den Kontakt zu einer Infragestellung ihrer eigenen Positionen verliert.

Die anschließende Auseinandersetzung mit der Suche nach einer Begründung individueller oder kollektiver Handlungsmacht berührt diesen Punkt mehrfach. Dabei ist jeweils im Auge zu behalten, ob die hier angesprochene Relativität der eigenen Begründungen noch gegeben ist und mitgetragen wird. Für mich beschreiben die hier entwickelten postpolitischen Konstellationen letztendlich die Bedingungen, mit denen die Etablierung einer solidarischen Politik heute konfrontiert wird. Mit Crouchs politikwissenschaftlicher Perspektive eröffnete sich für uns zunächst ein Einblick in die als postdemokratisch kritisierten Verhältnisse. Rancière fokussiert sich weniger auf die politischen Strukturen, denn auf die Entwicklung einer politischen Kultur des Streits, die er als wesentliches Moment der Veränderung sozialer Praktiken anführt. Die Theorie der funktionalen Differenzierung und die Beschreibung der postfundamentalistischen Gesellschaft stellten heraus, dass es eine Zunahme und Ausdifferenzierung der sozialen Formen der Einbindung in die Gesellschaft gegeben hat. Dies führt zu dem Problem, dass es keine kongruente Vorstellung gesellschaftlicher Totalität mehr gibt. Gesellschaft wird tendenziell

---

59 Rorty 1992, S. 87. Früchtl thematisiert diese Unerschrockenheit als eine ethisch gewendete metaphysische Unbedingtheit, die sich zugleich gegen einen kantisch geprägten Anspruch von Moralität wendet, vgl. Früchtl 2010.

nur noch dissoziativ erfahren. Gleichzeitig lässt sich aber ein Bedürfnis feststellen, dem es nach der Existenz kongruenter kollektiver Bilder und Vorstellungen verlangt. Um sich als Teil der Gesellschaft zu konstituieren. Um soziale Gerechtigkeit zu fundieren. Um den Bereich des Gesellschaftlichen zu öffnen. Um soziale Teilhabe zu gestalten. Die Entwicklung und Verbreitung eines kooperativen Selbstverständnisses ist hierzu hilfreich, weil es Einzelnen ermöglicht, sich darauf zu beziehen oder an dessen Umsetzung mitzuarbeiten.

Eine solche sozial-kooperative Politik initiiert sich über die Realisierung individueller und kollektiver Handlungsmacht. Dabei geht es inhaltlich um die eigene Positionierung innerhalb gesellschaftlicher Möglichkeiten und um die Frage, welche Formen solidarischer Politik sich jeweils realisieren lassen. Daher setze ich mich im Folgenden mit der Frage nach der Konstruktion von Agency unter diesen postpolitischen Konstellationen auseinander, was bestenfalls mehr ist als nur eine optionale Perspektive.

3 Das Subjekt als sozialer Akteur

In der Auseinandersetzung mit der Agency sozialer Akteure und bei der Frage, wie diese zu politischen Veränderungen beitragen können, ist ein robustes Verständnis der Entstehung von Subjektivität hilfreich. Dieses Verständnis sollte robust sein, insofern es fundierte und berechtigte Kritiken gegenüber Theorien des Subjekts gibt, die sich vor allem gegen die Position eines umfassenden und autonomen Subjekts richten.

Luhmann diskutiert in *Die Gesellschaft der Gesellschaft* drei Punkte, die heute noch für die Verwendung des Subjektbegriffs sprechen: Der Begriff ermöglicht zunächst einmal die Beobachtung einzelner Individuen. Des Weiteren hebt er ihren Anspruch hervor, nicht als bloßes Objekt behandelt zu werden, das in der Bedeutungslosigkeit untergeht. Letztlich enthält der Begriff eine Entscheidung für Autonomie und Emanzipation gegen Heteronomie und Manipulation.[60] Diese drei Bedeutungen haben weiterhin ihre Berechtigung. Für Luhmann ist allerdings eine angemessene Beschreibung der Gesellschaft mit dem Begriff des Subjekts nicht mehr möglich. Er verstellt den Blick auf die Gesellschaft als System. Entsprechend werden die Position des Subjekts und die Perspektiven sozialer Akteure im systemtheoretischen Forschungsdesign ausgeblendet.[61]

Entgegen dieser totalen Absage an den Begriff des Subjekts findet sich bei Axel Honneth eine Auseinandersetzung zum Subjektbegriff, die noch mal zwei weitere kritische Punkte herausarbeitet. Zum einen können vonseiten der psychoanalytischen Theorie interne psychische Effekte gegen die Position eines autonomen Subjekts angeführt werden. In der Psychoanalyse wurde mit dem Unbewussten ein Bereich in die Bewusstseinstheorie eingeführt, der sich dem erkennenden und autonomen Subjekt entzieht, der aber in das Handeln und Erkennen eingreift.[62] Zum anderen wurde beginnend mit den sprachphilosophischen Ausführungen von Wittgenstein und Saussure die Autonomie des Subjekts in Bezug auf die Erstellung von Bedeutungen und der

---

60 Vgl. Luhmann 1997, S. 1027.

61 Die sozialwissenschaftliche Wendung zur Handlungstheorie und zur Auseinandersetzung mit sozialen Akteuren wird von Luhmann dementsprechend als eine zweite Verteidigungslinie des Subjekts ausgemacht, vgl. Luhmann 1997, S. 1030.

62 Vgl. Honneth 1995, S. 261ff.

Erzählung des Subjekts infrage gestellt. Dieser Strang der Kritik am autonomen Subjekt speist sich aus der Sprachphilosophie und verbindet sich hier mit dem von Thomas Kuhn angesprochenen Wandel zum linguistischen Paradigma. Das Subjekt besitzt keine freie Kontrolle mehr über die sozial verwendeten Bedeutungen und ist zudem von einem vorgegebenen System linguistischer Bedeutungen abhängig.[63]

Eine umfassende theoretische Autonomie des Subjekts ist nicht mehr zu gewährleisten. Für letzte Gewissheit in dieser Richtung sollten die poststrukturalistischen Positionen von Michel Foucault sorgen. Unter den programmatischen Schlagworten vom Ende des Menschen oder vom Tod des Subjekts firmiert bei Foucault seit den 1960er Jahren die Absage an ein autonomes, freies und ahistorisches Subjekt. Foucault nimmt diesem Subjekt seine Position, um sich den sozialen Verhältnissen, den sozialen Strukturen und normativen Ordnungen zu zuwenden, aus denen jeweils bestimmte Formen von Subjektivität hervorgehen. Die Errungenschaften der Aufklärung für das Subjekt werden für Foucault damit nicht hinfällig. Subjektivität ist nicht unmöglich geworden. Vielmehr änderte sich der Fokus der Kritik.[64] Es wurde nicht mehr nach formalen Strukturen mit universellem Anspruch gesucht, sondern nach den uns konstituierenden historischen und genealogischen Spuren, denen unsere Subjektivität folgt. Subjekte sind nicht unabhängig, autonom und frei, sondern eingebunden in strukturierte soziale Prozesse.

Dieser theoretische Ansatz eröffnet neue Problemstellungen, in denen Subjekte nicht mehr als souverän Handelnde, sondern als Resultat diskursiver Machtpraktiken thematisiert werden. Die Positionen des Poststrukturalismus sind hilfreich, weil sie den Fokus auf die Machtstrukturen legen, welche die normative Ordnung der Gesellschaft durchziehen. Poststrukturalistische Sozialtheorie eignet sich damit gut zur Beschreibung und Kritik der Gesellschaft.

---

63 Honneth plädiert daher für ein Modell der Intersubjektivität, in dem die auf das Subjekt wirkenden Fliehkräfte als konstitutive Bedingungen der Subjektivität beschrieben werden. Diese Rekonstruktion versucht Subjekte als partikulare Organisationsform kontingenter Kräfte zu behalten, um die Idee der Autonomie mit den Bedingungen des Unbewussten und der Sprache zu verbinden, vgl. Honneth 1995, S. 261f.

64 Vgl. Foucault 2005b, S. 702.

Die Position des politisch aktiven Subjekts blieb allerdings nach der linguistischen Wende und auch im Poststrukturalismus zunächst unbesetzt. Sie zu füllen war auch nicht deren jeweilige Aufgabe. Wir können uns aber Fragen, ob diese Stelle unbesetzt bleiben sollte und wie wir mit den fragmentierten und in Diskurse eingebundenen Subjekten wieder zurück zur Ausgestaltung der Politik finden können. Unter diesen Gesichtspunkten wende ich mich den Positionen zum Subjekt von Foucault und Butler zu. Von Foucault ausgehend kann gut gezeigt werden, wie sich eine Position des Subjekts wieder in die Diskussion zurückführen lässt. Dazu greife ich Schlüsselaspekte dieser Diskussion auf, um eine robuste Perspektive auf die individuelle Handlungsmacht sozialer Akteure zu eröffnen. Davon ausgehend führe ich Grundbausteine der Subjektivierung zusammen, die für mein Verständnis von Handlungsmacht ausschlaggebend sind.

3.1 Foucault: Vom Tod des Subjekts zur Ästhetik der Existenz

Die Abkehr von der Vorstellung eines autonomen Subjekts findet sich bei Foucault bereits in seinen Werken der 1960er Jahre. Der programmatische letzte Satz in *Die Ordnung der Dinge* drückt dies mit dem metaphorischen Bild aus, „dass der Mensch verschwindet wie am Meeresufer ein Gesicht im Sand“[65], dahinter liegt die Annahme, die Foucault in seinen historischen Analysen klar herausarbeitet, dass sich die grundlegenden Dispositionen des Wissens im Lauf der Zeit ändern.

> „Man braucht sich nicht sonderlich über das Ende des Menschen aufzuregen; das ist nur ein Sonderfall oder, wenn Sie so wollen, eine der sichtbaren Formen eines weitaus allgemeineren Sterbens. Damit meine ich nicht den Tod Gottes, sondern den Tod des Subjekts, des Subjekts als Ursprung und Grundlage des Wissens, der Freiheit, der Sprache und der Geschichte.“[66]

Die Rede vom Tod des Subjekts steht nicht für einen bedauernswerten Verlust, sondern für eine theoretische Entscheidung im Forschungsdesign. Foucault interessierte sich nicht mehr für das erkennende Subjekt als Quelle oder Ausgangspunkt der Erkenntnis. Für ihn waren die strukturierenden Bedingungen der Sub-

65 Vgl. Foucault 1971, S. 462.
66 Foucault 2001a, S. 1002.

jektivierung interessanter, unter denen sich Subjektivität erst entfaltet. Foucaults archäologische und genealogische Zugänge richten sich auf die Art und Weise, wie Subjekte in diskursiven Praktiken und Machtbeziehungen konstituiert werden. Um diese diskursiven Praktiken sichtbar zu machen, musste sich Foucault vom Begriff des Subjekts als Ausgangspunkt lösen, um in seinen genealogischen Analysen, die Muster aufzuzeigen, in denen Subjektivierung in einer historischen Umgebung erst stattfindet.

In den 80er Jahren entwickelt Foucault neue Forschungsinteressen, mit denen sein starker Fokus auf Theorien der Macht zurückging.[67] Seine Haltungen änderte sich durch die Auseinandersetzung mit dem Selbst, das weniger stark durch die gegen das Subjekt angeführte Kritik aus Richtung der Psychologie und der Sprachphilosophie eingeengt wird. Über das Interesse an den Technologien des Selbst werden Fragen des Selbstentwurfs in Foucaults Philosophie virulent. Sie lassen nach der Verfügbarkeit diskursiver Strategien fragen, die neue Perspektiven eröffnen. Eine zentrale Passage, die diesen Wandel zum Ausdruck bringt, findet sich in einem Interview, in dem er darauf angesprochen wird, dass es in seinem Werk kein souveränes Subjekt mehr gebe.[68]

> „Man muss unterscheiden. Als Erstes denke ich tatsächlich, dass es kein souveränes, stiftendes Subjekt, keine Universalform Subjekt gibt, die man überall wieder finden könnte. Ich bin sehr skeptisch und sehr feindselig gegenüber dieser Konzeption des Subjekts. Ich denke im Gegenteil, dass das Subjekt durch Praktiken der Unterwerfung oder, auf autonomere Weise, durch Praktiken der Befreiung, der Freiheit konstituiert wird, wie in der Antike, selbstverständlich ausgehend von einer gewissen Anzahl von Regeln, Stilen, Konventionen, die man im kulturellen Milieu vorfindet."[69]

Foucault ist weiterhin der Ansicht, dass es kein souveränes fundierendes Subjekt mehr gibt. Er eröffnet allerdings zwei deskriptive Zugänge zum Subjekt. Der erste Zugang folgt der negativen Beschreibung des Subjekts, wie sie von Foucault seit seinen frühen Schriften verfolgt wurde und in denen das Subjekt durch Praktiken der Unterwerfung gebildet wird. Diesem Zugang wird ein Zweiter entgegengesetzt, der eine alternative und positive

67 Vgl. Foucault 1988, S. 19, Foucault 2005a.
68 Vgl. Foucault 2005a, S. 906.
69 Foucault 2005a, S. 906.

Beschreibung des Subjekts entwirft. Hier wird das Subjekt durch autonome Praktiken der Befreiung gebildet, auf der Basis einer Zahl von Regeln, Stilen und Konventionen, die es in seiner kulturellen Umgebung findet. Dieser positive Zugang zu autonomen Praktiken des Subjekts ist weiterhin an die Einschränkungen der das Subjekt umgebenden diskursiven Praktiken gebunden. Aber hier eröffnet sich eine autonome Perspektive, die von Foucault zur Suche nach einer Ästhetik der Existenz umgebaut wird.[70]

> „Von der Antike zum Christentum geht man von einer Moral, die im Wesentlichen Suche nach einer persönlichen Ethik war, zu einer Moral als Gehorsam gegenüber einem System von Regeln über. Und für die Antike interessierte ich mich, weil aus einer ganzen Reihe von Gründen die Idee einer Moral als Gehorsam gegenüber einem Kodex von Regeln jetzt dabei ist zu verschwinden, bereits verschwunden ist. Und diesem Fehlen einer Moral entspricht eine Suche, muss eine Suche entsprechen, nämlich die nach einer Ästhetik der Existenz."[71]

Die Entwicklung einer Ästhetik der Existenz ist für Foucault die korrespondierende Antwort auf das Fehlen verbindlicher Moralvorstellungen. Die antike Ethik war für Foucault in erster Linie durch einen freiheitlichen Stil gekennzeichnet, der sich in der Suche nach einer persönlichen Ethik äußerte. Diese Suche verweist nicht auf das absolute Fehlen verbindlicher Moralvorstellungen. Verpflichtende Sozialbeziehungen und bindende moralische Vorstellungen gab es auch in der Antike. Was für Foucault entscheidend ist, ist der Verweis, dass die verbindlicher formulierten christlichen Moralvorstellungen später diese Suche nach einer eigenen Moral verdrängten.[72]

Antigones tragischer Konflikt veranschaulicht diese Haltung. Antigone konnte wählen, ob sie sich an die staatlichen Regeln hält

---

70 In gewisser Hinsicht untersucht Foucault damit die sittlichkeitstheoretischen Grundlagen der sozialen Einbindung der Freiheit, wie sie von Hegel aufgefasst wurde, als Einbindung in soziale Prozesse. Freiheit ist für Hegel nur innerhalb von gesellschaftlichen Verhältnissen gegeben. Diese Verhältnisse und ihre strukturellen Relationen wurden von Foucault in seinen genealogischen Untersuchungen anvisiert. Unbeantwortet blieb dabei der Aspekt der autonomen Selbststeuerungsmöglichkeiten, die Foucault nun unter anderem mit dem Schlagwort der Ästhetik der Existenz in Blick nimmt, vgl. Foucault 2005a, S. 905.

71 Foucault 2005a, S. 905.

72 Vgl. Foucault 2005a, S. 904.

und ihren Bruder nicht bestattet, oder ob sie sich für die privaten Familienverpflichtungen entscheidet und gegen staatliches Recht verstößt. In dem Konflikt der Antigone zeigt sich, was Foucault mit dem Gedanken der Sorge um sich verbindet. Foucault beschreibt diese Sorge um sich als eine der zentralen Praktiken der Antike, welche die Art der Lebensführung und das persönliche und soziale Leben beeinflusst.[73] Antigone befand sich im Konflikt zwischen familiären und staatlichen Gesetzen. In ihrer Sorge um sich entschied sie sich für die Befolgung der familiären Riten, entgegen dem ihr daraufhin drohendem Schicksal. Für Foucault ist Antigone den Weg gegangen, auf dem sie nach ihren eigenen Vorstellungen von Freiheit und Moral suchte. Den Weg, in dem sie sich wiederfand und von anderen erkannt wurde.[74]

Foucaults Gedanke der Sorge um sich enthält eine Perspektive auf ein autonomes Subjekt und vor allem auf die Handlungsmacht dieses Subjekts. Dies ist ein Subjekt, das nach Praktiken der sozialen, politischen und moralischen Befreiung sucht, auch wenn es dabei weiterhin an die normative Ordnung der Gesellschaft gebunden ist. Damit eröffnet Foucault bereits eine eingeschränkte Perspektive auf ein autonomes Subjekt. Von Butler können wir uns noch zeigen lassen, inwiefern wir hier zur Handlungsmacht sozialer Akteure zurückfinden.

3.2 Butler: Wiederholung, Anbindung und Performanz

Judith Butler verdeutlichte bereits zu Beginn der 1990er Jahre, dass der Verlust des Subjekts für sie die Bedingung der Möglichkeit für eine diskursive Modalität von Agency bildet.[75] Sie macht dies bezeichnenderweise in einem Aufsatz mit dem Titel *Poststrukturalismus und Postmarxismus.* Darin untersucht sie die These, dass in Teilen des Poststrukturalismus die politischen Möglichkeiten weiterverfolgt werden, die im Marxismus, aufgrund seines augenscheinlichen Verlusts an Glaubwürdigkeit nach der politischen Wende von 1989, nicht mehr formuliert werden.[76]

Das klingt nicht nach der Ikone feministischer Theorie, als die sie bekannt wurde. Dazu ist aber in Erinnerung zu rufen, dass sie auf einer theoretischen Basis argumentiert, die sich mit den Ver-

---

73 Vgl. Foucault 2005d, S. 969ff.

74 Vgl. Foucault 2005a, S. 904.

75 Vgl. Butler 1993, S. 8.

76 Vgl. Butler 1993, S. 2.

änderungen der Konzeption des Subjekts auseinandersetzt. Die von ihr mitinitiierte Debatte um die soziale Konstruktion von Geschlechterzugehörigkeiten, von Gender*, dreht sich im Kern um diese Veränderung. In der Auseinandersetzung mit Foucault folgt sie den von ihm beschriebenen Prozessen der Subjektivierung und arbeitet die sich hier eröffnenden Zugriffsmöglichkeiten für eine Rückgewinnung von Agency heraus.[77]

Butler beginnt ihre Suche nach den Bedingungen der diskursiven Modalität von Handlungsmacht innerhalb der poststrukturalistischen Theorie. Sie knüpft an zentrale Themen aus Foucaults Werk an und gelangt damit zu Problematisierungen, die für mein Theoriedesign von Bedeutung sind, sobald es sich um die Handlungsmacht sozialer Akteure dreht. Sie übernimmt von Foucault die Position, dass Subjekte durch die Einwirkung von externen Faktoren geformt werden. Dies können soziale Vorstellungen von angemessenem oder unangemessenem Verhalten sein, politische Aspekte, ethisch gebotene Verhaltensweisen oder auch kulturelle Aspekte gruppenspezifischer Zugehörigkeiten. Diese externen Faktoren wirken auf ein Subjekt ein und drängen das Subjekt zur Unterwerfung unter diese Formen von Macht. Für Butler nimmt Macht damit eine psychische Form an, durch welche sich das Subjekt erst konstituiert.[78] Die unterwerfende Praxis der Subjektivierung enthält ein paradoxes Element:

> „Der Ausdruck »Subjektivation« birgt bereits das Paradoxon in sich: *assujettissement* bezeichnet sowohl das Werden des Subjekts wie den Prozess der Unterwerfung - die Figur der Autonomie bewohnt man nur, indem man einer Macht unterworfen wird, eine Subjektivation die eine radikale Abhängigkeit impliziert."[79]

Butler untersucht diesen paradoxen Punkt der Subjektivierung eingehend und setzt sich mit den dazugehörigen Bedingungen und Aspekten auseinander.[80] Im Kern gehören dazu die externen regulierenden Normen, die in der Subjektkonstruktion zunächst

77 Vgl. Butler 2001.

78 Vgl. Butler 2001, S. 9.

79 Butler 2001, S. 81. Hervorhebung im Original.

80 Dazu gehört für Butler auch das Paradox der Referenz auf etwas, das Subjekt der Unterwerfung, das noch gar nicht existiert. Dieses Paradox der Referenzialität sieht Butler besonders in der Geste der Anrufung von Louis Althussers exemplifiziert, vgl. Butler 2001, S. 10.

eine fundamentale Abhängigkeit für das Subjekt bilden, die aber zugleich eigene Handlungsmacht initiieren.[81]

Butler folgt hier der hegelianischen Perspektive, dass wir immer schon sozialisierte Menschen sind. Freiheit und Autonomie kann es nur innerhalb einer normativen Ordnung geben. Wir sind keine bindungslosen Subjekte und frei von externen Abhängigkeiten, vielmehr werden wir durch die Abhängigkeit von externen regulierenden Normen geprägt. Aber, wie entsteht aus dieser fundamentalen Abhängigkeit heraus, die von ihr beschriebene Figur der Autonomie? Dazu rückt sie ein theoretisches Element in den Fokus, das bereits in Foucaults Subjekttheorie mitgedacht wurde, dort aber nicht die zentrale Stellung erhielt, die ihr Butler zumisst.

> „Das Foucaultsche Subjekt wird nie vollständig in der Unterwerfung konstituiert; es wird wiederholt in der Unterwerfung konstituiert, und es ist diese Möglichkeit einer gegen ihren Ursprung gewendeten Wiederholung, aus der die Unterwerfung so verstanden ihre unbeabsichtigte Macht bezieht."[82]

Die regulierende Kraft externer Normen wirkt permanent auf Subjekte ein und ruft fortwährend Reaktionen hervor. Die Subjekte sind für Butler allerdings gar nicht in der Lage die einzelnen Wiederholungen in je gleicher Weise zu vollziehen. Es kommt immer wieder zu Abweichungen. Über Wiederholungen entsteht Varianz. Dies ist der Zugriffspunkt, wo das Subjekt die Möglichkeit gewinnt, Normativität zu verändern.

Butler beschreibt es als eine Aufgabe des Subjekts, die einzelnen diskontinuierlichen Momente in der Konstruktion des Subjekts zusammenzuführen. Nur gleichen sich die einzelnen Wiederholungen nicht.[83] Die Umsetzung einer sozialen Norm ist immer

---

81 Vgl. Butler 2001, S. 8.

82 Butler 2001, S. 90.

83 Vgl. Butler 2001, S. 95. Hier ruht ein großes Problem. Subjekte und ihre Kohärenz sind abhängig von der Wiederholung. Wir brauchen als Subjekt Wiederholungen, mit denen wir uns reiterativ rekonstituieren können. Eine sichere soziale Umgebung leistet dies. Hier wurzelt das Bedürfnis nach verpflichtenden Sozialbeziehungen, weil sich hier Räume der kohärenten Wiederholung anbieten. Der Versuch einer spezifischen Identität, welche die eigene Besonderheit hervorhebt, wird zum Politikum, wenn diese Besonderheit totalisiert wird. Butler hält fest, dass Foucault dies in seinen späteren Interviews herausarbeitet, vgl. Butler 2001, S. 95. Wir werden in Kapitel 4.2 wieder auf dieses Problem stoßen, wenn vom situierten Wissen die Rede ist und die Bedeutung verpflichtender Sozial-

schon mit minimalen Abweichungen verbunden, in denen Alternativen umgesetzt werden. An diesem Punkt eröffnet sich für Butler der Widerstand gegen die regulierende Macht der Normen. Die über Normen vermittelten Handlungsanweisungen an das Subjekt führen zu einer jeweils abweichenden performativen Umsetzung. Dadurch eröffnen sich Alternativen, mit denen Subjekte von vorherigen Reaktionen abweichen können.

Über den Aspekt der Wiederholung und Reartikulation des Subjekts wird deutlich, dass Butler explizit den Gedanken einer substanziellen Konzeption von Identität ablehnt.[84] Sie eröffnet hier eine Unvollständigkeit und Inkohärenz des Subjekts, welche die Garantie gleichbleibender Identität hinterfragt.[85] Damit weist Butler den Gedanken einer Letztbegründung zurück und verweist auf eine dem Subjekt inhärente Verletzlichkeit. Die Subjekte stehen vor ungewissen und anstrengenden Herausforderungen. Sie bewegen sich in einem spannungsreichen Feld und geben sich wenigstens dem Anschein hin, eine Art von Kohärenz zu erreichen.

Welche Folgen hat dies für Butlers Konzeption von Identität, wenn wir nur noch dezentrierte Subjekte sind, für die Kongruenz und Kohärenz unerreichbar sind? Der Antwort zu dieser Frage können wir uns mit einer Passage zum Konzept Gender nähern. Butler entzieht hier dem geläufigen Verständnis von Identität den Boden und exemplifiziert ihre Position anhand der prägnanten Aussage Simone de Beauvoirs aus *Das andere Geschlecht*:

> „Wenn Simone de Beauvoir behauptet, als Frau werde man nicht geboren, sondern zur Frau *werde* man erst, dann übernimmt sie diese Lehre von den konstitutiven Akten aus der phänomenologischen Tradition und deutet sie neu. In diesem Sinn ist die Geschlechterzugehörigkeit keineswegs die stabile Identität eines Handlungsortes, von dem dann verschiedene Akte ausgehen; vielmehr ist sie eine Identität, die stets zerbrechlich in der Zeit konstituiert ist – eine Identität, die durch eine *stilisierte Wiederholung von Akten* zustande kommt.“[86]

Butler lehnt die Auffassung einer stabilen Identität ab und kritisiert das sich darin ausdrückende Verständnis von Normativität. Hinter

beziehungen hervorgehoben wird.

84 Vgl. Butler 1988, S. 519–520.

85 Vgl. Butler 2001, S. 95. Silke van Dyk sieht hier das zentrale Argument Butlers niedergelegt, vgl. van Dyk 2012, S. 199.

86 Butler 2011, S. 301f. Hervorhebung im Original.

diesem Verständnis von Identität und Normativität steht eine ontologische* Auffassung, die sich darauf beruft, dass Subjekte in der Welt eindeutig identifizierbar sind und eine feste Identität haben, die sich nicht über die Zeit verändert. Das ist ja gerade ein Gedanke von Identität: Stabilität über Zeit. Aber ein solches Verständnis von Identität kann mit heterogenen Konzeptionen von Identität nicht umgehen, wie sie Butler entwickelt. Ein striktes Verständnis von Identität erfasst nicht die von Butler eingeführten Varianzen, die sich über Aspekte der Wiederholung und Reartikulation eröffnen. Butler argumentiert daher dafür, dass Gender eben nicht auf einer festen Identität beruht, sondern über eine *„stilisierte Wiederholung der Akte* in der Zeit konstituiert wird".[87]

In der Debatte um das Konzept von Gender geht es darum, die binäre Konstruktion von Geschlechtlichkeit zu hinterfragen und zu verdeutlichen, dass es keine festgeschriebene geschlechtliche Identität gibt. Zumindest keine Identität, der jeweils strikt zu folgen ist. Identifizierende Zuschreibungen werden erst über die Zeit und durch permanente Wiederholungen gebildet und wirksam. Subjekte verhalten sich wie Männer oder Frauen. Es ist aber entscheidend festzuhalten, dass sie dies nicht zwangsläufig immer tun müssen. Männer oder Frauen können sich gegen die Befolgung dieser Norm entscheiden. Die Konzeption von Zweigeschlechtlichkeit garantiert nicht unbedingt eine feste Identität. Zweigeschlechtlichkeit kann als Orientierung hilfreich sein. Dient aber in den meisten Fällen nur zur Festigung sozialer Strukturen der Benachteiligung der als weiblich unterschiedenen Menschen.

Die Wiederholung stilisierender Akte setzt und fixiert Identität. Innerhalb der binären Unterscheidung von Geschlechtlichkeit wird die Unterscheidung von Mann und Frau fortwährend wiederholt: Sei es nur ein Formular, wo sich für ein Geschlecht zu entscheiden ist. Immer werden auch soziale Erwartungen bedient und die zugrunde liegenden Unterscheidungen performativ reproduziert. Den Raum für Widerstand und Veränderung legt Butler in jeden einzelnen Akt dieser stilisierenden Wiederholungen.

---

87 Butler 2003, S. 206. Hervorhebung im Original. Interessanterweise geht Butler in der Diskussion um Gender so weit, dass sie nicht nur die Kategorien von Gender und Geschlecht als sozial konstruiert ansieht, sondern auch den Körper als sozial konstruiert begreift. Diesen Gedanken entwickelt sie in *Körper von Gewicht*, vgl. Butler 1997.

Mit ihrer Konzeption von Subjektivität und Identität berührt Butler einen Aspekt, der als theoretischer Hintergrund in der Diskussion um die Gendertheorie mitläuft. Letztlich kann in dem angeführten Zitat eine beliebige andere Vorstellung von Identität angeführt werden, ohne dass sich an der Kritik von Identität etwas ändert. Identität steht immer in einer komplizenhaften Verbindung mit den bestehenden normativen Strukturen, wodurch sie erst ihre Form und Wirksamkeit erhält. Religiöse Riten, kulturelle Praktiken oder soziale und politische Verhaltensweisen sind immer darauf angewiesen, dass sie befolgt und reproduziert werden. Ein gewisses Maß an Abweichung ist möglich, stellenweise auch erwünscht, solange die Identität als Norm wiedererkennbar und wiederholbar bleibt. Je weiter verbreitet und gefestigter eine derart instanziierte Norm ist, desto schwieriger wird es, sie in ihrem Kern abzulehnen. Die Vorstellung binärer Geschlechtlichkeit ist ein eindringliches Beispiel, weil sie alle sozialen Bereiche durchzieht. Gegen eine solch starke Norm ist nur bedingt ein nachhaltiger Widerstand möglich, der zur Veränderung der zugrunde liegenden Norm führt. Die zunehmende Einführung von Initiativen zur Gleichstellung und Gleichbehandlung der Geschlechter verdeutlicht, wie schwer es ist, in diesem Bereich Erfolge zu erzielen, und wie erbittert der Widerstand gegen Veränderungen ist. Dabei geht es zunächst einmal nur um die Verbesserung der sozialen Position von Frauen und nicht um die Abschaffung oder radikale Neufassung dieser binären Unterscheidung, die sich in allen Bereichen des sozialen Lebens festgesetzt hat.

3.3 Grundbausteine der Subjektivierung

Subjekte können heute wahlweise als dekonstruiert, hybrid, kontingent, fragmentiert oder brüchig beschrieben werden. Es gibt viele Titulierung, aber das Subjekt bleibt der Ort, wo die wesentlichen Muster der sozialen Integration und der Verarbeitung der Gesellschaft wirken. Regulierende Normen finden hier ihren Ansatzpunkt, wenn sie performativ reartikuliert und reproduziert werden. In diesen Momenten eröffnet sich eine Wahl autonomer Handlungsalternativen, die gegen die Wirkungsmacht struktureller Einflüsse oder eines kollektiven Ethos angeführt werden können. Darüber bieten sich Möglichkeiten des Widerstandes, der Kritik und der sozialen Transformation an, um die bestehenden regulierenden Normen zu verändern.

Mit dem Begriff der Handlungsmacht werden dazu die konkreten Momente in Augenschein genommen, in denen die Agency sozialer oder politischer Akteure lokalisierbar wird. Dieser Fokus liegt auf den Zugängen und Umgangsweisen mit sozial wirksamen Realitäten. Regulierende Normen, Werte, Muster oder Geschichten, schlicht alle sozialen Kategorien werden von Subjekten aufgenommen, angenommen oder dezidiert abgelehnt aufgrund einer Entscheidung, oder aufgrund von mangelndem Wissen über soziale Möglichkeiten. In diesem Prozess setzen sich individuelle und kollektive Akteure mit verfügbaren Identitäten auseinander, die als Muster der Organisation sozialer Zugehörigkeiten fungieren.

Im Subjekt werden diese Beschreibungen und Identitäten zusammengeführt. Das Subjekt ist der Ort, an welchem dies als Authentizität des individuellen oder kollektiven Entwurfs erlebt wird. Diese Entwürfe enthalten die sozialen Dimensionen, in denen Individuen oder Gruppen Sinn suchen und Sinn konstruieren, um sich eine eigene Narration zu geben. Es ist auch der Ort, wo dieses Zusammenführen scheitern kann, wenn die wahrgenommenen Anforderungen nicht mehr in einen kohärenten, oder zumindest haltbaren Selbstentwurf zu realisieren sind.

Um die als disparat erlebten Bereiche des Sozialen wieder zusammenzubringen, sind Subjekte darauf angewiesen, eine intensivere normative Auseinandersetzung zu führen.[88] Dieser Gedanke ist eine der zentralen Einsichten der Theorie der sozialen Erfahrung von Dubet und wird im anschließenden Theoriedesign zu Erfahrung und Wissen diskutiert. Hinter diesem Gedanken steckt das Problem, dass es einerseits keine einheitliche Beschreibung der sozialen Totalität mehr gibt. Daher müssen Subjekte mehr Arbeit leisten, um ihrem Bedürfnis nach sozialer Kohärenz oder sozialer Konsistenz zu entsprechen.[89] Andererseits bewegen wir uns fortwährend in verschiedenen sozialen Kontexten, die divergierende Anforderungen an uns stellen, in denen wir verschieden auftreten, respektive wo unsere Interaktionsmöglichkeiten verschieden stark ausgeprägt sind. Die dabei auf uns zukommende Mehrarbeit ist vielschichtig. Wir müssen uns fortwährend entscheiden, welchen Mustern sozialer Identifikation wir

88 Vgl. Dubet 2008, S. 17.

89 Dieser Gedanke ist Teil der postpolitischen Konstellationen und wird im Kapitel 4.1 mit dem Thema der sozialen Erfahrung weiterverfolgt.

uns anschließen wollen und wie wir mit den Konsequenzen dieser Entscheidungen umgehen wollen. Zu dieser Arbeit gehören Aspekte, die Grundbausteine der Subjektivierung bilden.

Internalisierung und Externalisierung

In der Subjektivierung tragen bewusste und unbewusste, offene und verdeckte Machtstrukturen zur Ausbildung von Subjektivität bei. Hier kommt die hegelianische Prämisse zur Geltung, dass wir immer schon in einer sozialisierten Welt leben. Wir werden in eine soziale Umgebung geboren, die von regulierenden Normen durchzogen ist, die wiederum unser Leben beeinflussen. In der Subjektformierung ist dies ein Prozess der Internalisierung* von Zuschreibungen, in dem Subjekte die externen regulierenden Normen als heteronome Angebote übernehmen.

Die Ausarbeitung der damit verbundenen Auswirkungen von Machtpraktiken in der Subjektivierung ist ein wesentliches Anliegen von Butler und Foucault. Wir konnten allerdings feststellen, dass beide einen expliziten Spielraum für die Beurteilung und das daraus folgende sich Verhalten zu diesen internalisierten Zuschreibungen eröffnen. Foucault führt dies mit seinen Aussagen zur Ästhetik der Existenz aus, Butler fundiert dies mit ihren Aussagen zur Wiederholung und Reartikulation in der Subjektivierung und mit ihrer Position zum performativen Handeln. Über die Externalisierung* regulierender Normen ergeben sich hier für beide Spielräume für Veränderung, Reflexion und Freiheit in der sozialen Praxis.[90] In diesem Bereich lokalisiere ich die Handlungsmacht sozialer Akteure. Sie ist verbunden mit Aspekten der Übernahme regulierender Normen, ihrer Beurteilung und einem daran anschließenden sich Verhalten zu den möglichen Zuschreibungen. Hier findet die normative Arbeit an der sozialen Erfahrung statt. Sie beginnt mit der Internalisierung von Zuschreibungen, die als Erfahrungen auf das Subjekt einwirken und zum Verhalten in der sozialen Praxis werden.

90 Der Weg der Externalisierung ließe sich auch als eine externalisierte Anrufung verstehen. In den übernommenen, ausgewählten und verkündeten Normen steckt der Gedanke der Anrufung, wie er von Louis Althusser ausgedrückt wurde, vgl. Althusser 2010, S. 71–102.

Identität und die Organisation sozialer Praxis

Identität formuliert normative Ansprüche. Im Rückgriff auf Identität geht es nicht um die Identität eines Individuums, mit sich selbst oder mit den von ihm oder über ihn getroffenen Aussagen. Das wäre ein philosophisches Verständnis von Identität. Wer auf Identität als Mittel der politischen Argumentation zurückgreift, aktiviert ein Konzept, um soziale Exklusion zu begründen. Wer bestimmte Merkmale nicht aufweist, wird ausgeschlossen. Identität ist damit ein politisches Mittel sozialer Desintegration. Wenn eine rassistische Stimmung verbreitet wird, dann wird Identität zu einem Mittel der Exklusion. Zu einer Exklusion, die sich auf Raster der Zugehörigkeit beruft und über eine vorgeschobene Legitimation zu begründen versucht. Über diesem Rückgriff auf Identität werden soziale Unterschiede postuliert und soziale Ausschlüsse organisiert.[91]

Die Möglichkeit zur Konstruktion von Identitäten verführt. Damit werden Normen in einen Diskurs eingeführt, der die Gesellschaft prägt. Dies kann ein durchaus legitimes politisches Interesse sein. Es kann ein politisches Ziel sein eine Gruppe oder ein gemeinsames Projekt zu festigen und dadurch auch zu emanzipieren, indem die Mitglieder in ihrer kollektiven Identität bestätigt und bestärkt werden. Dies ist der Clou, warum wir uns dem Prozess der Internalisierung und Externalisierung unterziehen, um daraus Zugehörigkeit und Bestärkung zu erfahren.[92]

In der Auseinandersetzung mit Zuschreibungen nehmen Identitäten einen wesentlichen Stellenwert ein. Identität ist ein Raster der Sortierung, an dem wir uns orientieren. Mit verschiedenen Formen der Identitätskonstruktion suchen wir uns Zeichen, Symbole, Normen oder Verhaltensweisen aus und statten uns oder eben eine soziale Gruppe mit den damit verbundenen Bedeutungen aus. Dabei wird fortwährend zugeordnet, abgelehnt, missachtet, übergangen, angepeilt und letztlich permanent unterschieden. Wir ordnen uns den regulierenden Normen der Gesell-

91 Identitäten und Zugehörigkeiten können auch erst von außen aktiviert werden, ohne vorher als Mittel der Identitätskonstruktion bewusst gewesen zu sein. Der ethnografische Ansatz, der in Walter Wippersbergs Film *Das Fest des Huhnes* verfolgt wird, greift diesen Aspekt auf und entwirft ein alternatives Bild westeuropäischer Kulturzusammenhänge, am Beispiel eines Dorffestes.

92 Nur sollte es nicht wie bei Dostojewskis *Dämonen* zugehen, wo der interne Zusammenhalt der Gruppe durch einen Mord gefestigt wird.

schaft und ihren sozialen Konstruktionen zu, indem wir sie annehmen oder ablehnen, zuschreiben oder entziehen. In vielen Fällen erfolgen Unterscheidungen nur oberflächlich, unbewusst und ohne weiter darüber nachzudenken. Wir verwenden Raster der Sortierung, Kategorisierung und Unterscheidungen, um festzuhalten, was uns interessiert oder auszusortieren, was uns stört, mit wem wir uns später oder gar nicht befassen wollen oder befassen müssen.

Wir werden permanent mit Identitäten und den damit formulierten Ansprüchen konfrontiert. Dies sind durchaus viele rein triviale Prozesse. Ich kann ein Philosoph, ein Tatortgucker, ein Radfahrer, ein Onkel, ein Wähler, ein Parteimitglied, ein Zeitungsleser, ein Musikhörer, ein wie auch immer sozial eingebundener Mensch sein – eine umfassende soziale Kategorisierung gibt es nicht. Die damit verbundenen Ansprüche hören nie auf: Studien- oder Berufswahl, was soll ich anziehen, wen soll ich lieben, was soll ich kaufen, was passt zu meinem Typ, welchen Typ will ich überhaupt darstellen? Unzählige Aspekte des Lebens stellen immer wieder Fragen nach Identität und wollen perspektivisch beantwortet werden. Subjekte konstituieren sich dabei fortwährend aus verschiedenen Identitäten heraus, zwischen denen sie changieren.[93]

Auf Ausgrenzung fokussierende Identitäten bedrohen das Sozialgefüge. Aber es gibt noch einen weiteren Aspekt, der zu Problemen führt, die entstehen, wenn mit Identitäten nicht mehr passend mitgehalten werden kann. Dies passiert, wenn Identitäten nicht verfügbar sind, wenn durch die Realisierung einer Identität die soziale Teilhabe zurückgefahren werden muss, weil die Anschlussfähigkeit an soziale Prozesse nicht gegeben ist. Dann führt Identität als Organisationsprinzip der sozialen Praxis zu Ausgrenzung. Wenn Identitäten nicht erreichbar sind, kann dies bedeuten, sich als soziale Verlierer_in zu realisieren. Mit allen damit verbundenen Folgen. Wenn Ungleichheit oder nur mangelnde Beteiligungsmöglichkeit Menschen voneinander unterscheidet, weil die finanzielle, soziale oder kulturelle Basis nicht vorhanden ist, um soziale Teilhabe an erwünschten Identitäten umzusetzen. Wenn der Bildungsabschluss fehlt, für den Traumberuf. Wenn die Bindungen

---

93 Rancière arbeitet dies in *Der Hass der Demokratie* heraus und kennzeichnet es als ein Leben zwischen den Intervallen der Identitäten. Rancière 2007, S. 58–61.

im sozialen Umfeld es nicht erlauben, eine Identität auszuleben. Wenn die Angst vor Verfolgung, Benachteiligung oder dem sozialen Aus politische, religiöse oder soziale Beteiligung unterbindet. Um diesen Entwicklungen zu entgehen, sind wir auf soziale Unterstützung auf anderen Ebenen angewiesen. Aber zwischen Identitäten lässt sich nicht immer wählen, wie zwischen Salatdressings in einem Restaurant.

Welche Aspekte lassen sich aus diesen Bemerkungen entnehmen? Meiner Ansicht nach ist hier besonders der Aspekt hervorzuheben, dass Identitäten zur Organisation der sozialen Praxis herangezogen werden. Dabei können wir immer mit mehreren Identitäten gleichzeitig konfrontiert werden, die nachvollziehbar oder vollständig willkürlich auftreten. Sie sind nicht immer in gleicherweise aktiv. Als Zuschreibungen können sie zu uns hinzukommen, entfallen, angenommen oder abgelehnt werden. Identitäten müssen sich nicht zu einem komplementären und widerspruchsfreien Bild zusammensetzen. Es gibt vielmehr hybride Konstellationen von Identitäten an denen soziale Konflikte oder Widersprüche ablesbar sind. Eine individuelle oder kollektive Identität ist dann bestenfalls der Eindruck eines dynamischen Ganzen, das sich von Situation zu Situation zu erhalten sucht.

Temporale Selbstvergewisserung

Der Rückgriff auf Identität hat eine weitere Motivation. Mit der Aktivierung von Identitäten zur Organisation unserer sozialen Praxis verbindet sich der Anspruch, sich über die Zeit zu erhalten. In der Wiederholung entsteht für das Subjekt der Eindruck von Kontinuität. Über den Prozess der kontinuierlichen Internalisierung diskursiver Praktiken. Die Kohärenz eines Subjekts erzeugt sich über diesen Mechanismus der Wiederholung. Bedeutungen werden dazu zunächst internalisiert, um später wieder in der gelebten Praxis externalisiert zu werden. Dies reproduziert die angenommenen normativen Zuschreibungen.

Zeit ist der Faktor, der überbrückt werden muss. Identität ist der Ansatzpunkt, um sich über die Zeit einen Anschein an Konsistenz zu geben. Identität ist erforderlich, um sich selbst eine konsistente und durchgängige Erzählung zu ermöglichen, die über Rekurs und Wiederholung über die Zeit hinweg versucht ein kohärentes und konsistentes Selbstbild zu erschaffen. Identität wird hierbei zu einem Modus der temporalen Selbstvergewisserung.

Über Wiederholungen werden Routinen und Wiedererkennbarkeit geschaffen, in denen das Bemühen um Konsistenz zum Ausdruck kommt. Damit wird versucht, entgegen den disparaten Momenten der Moderne, Kontinuität zu erzeugen. Nikola Tietze trifft dazu eine prägnante Aussage, in der sie sich vornehmlich auf die Rolle von religiösen Mustern der Identifikation bezieht, mit denen Kontinuität angestrebt werden kann:

> „Das Leben in der Moderne bringt für das Individuum eine große Anzahl von Brüchen und widersprüchlichen Zugehörigkeiten mit sich. Es ist dadurch von einem zerstückelten, durch ständige Veränderung erschütterten Zeitverständnis begleitet. In einem solchen Lebenszusammenhang wird die Vorstellung von Kontinuität durch die Identifikation mit einer religiösen Tradition zu einem Mittel, Diskontinuität zu leben. Das Imaginieren von ungebrochener Fortdauer hilft Brüche und Widersprüche zu bewältigen, sie sich anzueignen und zu benutzen.“[94]

Temporale Selbstvergewisserung erfolgt über eine Identifikation mit Sinnangeboten. Dies sichert fortlaufende Anschlussfähigkeit an Strukturen der sozialen Organisation und wirkt den von Tietze konstatierten Erschütterungen des Zeitverständnisses entgegen. Entgegen den brüchigen Lebensentwürfen postfundamentaler Praktiken, die dem Fehlen einer Letztbegründung ausgesetzt sind, kann auf dem Weg temporaler Selbstvergewisserung der Versuch unternommen werden, eine ungebrochene Fortdauer zu erleben, die sich den disparaten Brüchen der Moderne entzieht. Diese Zeitbindung stützt sich auf verschiedenste Strategien, um zeitliche Kontinuität zu erzeugen. Der Verweis auf kulturelle Inhalte, sprachliche Bedeutungen, Zeichen, Emotionen oder die Konstruktion von Erinnerungen ist immer mit dem Aspekt verbunden, den Faktor Zeit zu überbrücken, um Kontinuität zu erzeugen. Eines der wichtigsten Mittel, um Kontinuität zu erreichen, sind Wiederholungen. Inhalte, Werte oder Normen bleiben aktuell, wenn sie wiederholt werden. An dieser Stelle greift Butlers Hinweis auf das kritische Potenzial dieser Wiederholungen. Bereits mit kleinen Veränderungen können die Bedeutungen und Inhalte von Normen oder Werten performativ verändert werden. Es sind weiterhin Modi der temporalen Selbstvergewisserung, aber sie sind veränderbar.

---

94 Tietze 2001, S. 72.

4 Erfahrung und Wissen

Das Soziale wird fortwährend durch individuelle und kollektive Akteure konstituiert. In Prozessen der Subjektivierung knüpfen sie permanent an bestehende Vorstellungen von Erfahrungen und Wissen an. Um die Handlungsmacht sozialer Akteure in diesen Prozessen darstellen zu können, bin ich auf eine Auseinandersetzung mit den Bedingungen der Formulierung von sozialer Erfahrung und unseres sozialen Wissens angewiesen. Dadurch klärt sich, wie sehr Handlungsmacht durch die Produktion von Erfahrung und Wissen beeinflusst wird, respektive welchen Einfluss wir auf deren Ausgestaltung haben.

Der Impulsgeber für diese Auseinandersetzung ist der französische Soziologe François Dubet. In seinen Untersuchungen verwendet er ein Konzept von Erfahrung, das die Verarbeitung sozialer Spannungen thematisiert. Erfahrung ist für Dubet in erster Linie eine normative Aktivität.[95] Sein Begriff der Erfahrung eröffnet eine individuelle Perspektive auf die Handlungsmacht sozialer Akteure. Diese Perspektive kombiniere ich mit einem Element feministischer Theoriebildung, das in den letzten Jahrzehnten zu einem Wandel erkenntnistheoretischer Perspektiven beigetragen hat. Dies ist die Theorie des situierten Wissens von Donna Haraway.[96] Diese Theorie fokussiert sich auf die Positionen, von denen aus individuelle oder kollektive Wissensansprüche formuliert werden.

Beide Theorien ergänzen sich gegenseitig. Es sind zwei exemplarische Modelle, in denen individuelle und lokale Bedingungen in die Formulierung von Erfahrungen und Wissensansprüchen einbezogen werden. Sie eröffnen einen subjektzentrierten Fokus auf die soziale Praxis, wenn nach den Bedingungen der Konstruktion von sozialer Erfahrung und dem situierten Wissen von Subjekten in einer sozialen Praxis gefragt wird. Wie dies mit einer epistemischen* Theorie zusammengebracht werden kann, die sich auf die Produktion von Wissen in unserer sozialen Praxis richtet, zeige ich im Anschluss mit Robert Brandoms Theorie des Inferenzialismus.

---

95 Vgl. Dubet 1994, S. 92f und dazu Tietze 2011.

96 Vgl. Haraway 1988.

4.1 Dubet: Grundkonstellationen sozialer Erfahrung

Wenn wir uns Dubet annähern, werden wir mit einem Begriff von Erfahrung konfrontiert, der von dem reinen Erleben des Besonderen ablässt und ein Verständnis von Erfahrung als normativer Aktivität und kognitiver Tätigkeit eröffnet. Zugleich reagiert dieser Forschungsansatz auf die sinkende Bedeutung der Gesellschaft als umfassender theoretischer Bezugsgröße.[97] Auch bei Dubet gibt es kein einendes Bild der Gesellschaft mehr. Es gibt keine monokausalen Erklärungsmuster mehr, nach denen sich die Sozialisation und eigene Verortung innerhalb der Gesellschaft vollzieht.[98] Auch hier kann die gesellschaftliche Einheit nicht der methodische Ausgangspunkt einer soziologischen Betrachtung der Gesellschaft sein. Es gibt keine einfachen strukturellen Beschreibungen mehr, die als Grundlage soziologischer Forschungen herangezogen werden können, ohne zugleich zu stark zu vereinfachen. Die wesentliche Erfahrung ist dann, dass die Aufschlüsselung der sozialen Welt in einer nicht kohärenten Umgebung geschieht. Die Gesellschaft hat keinen spezifischen Ort mehr. Sie ist in Konturen aufgegangen, die einer vereinfachenden Beschreibung nicht mehr zugänglich sind. Daher bedarf es neuer Zugangsweisen. Dubet entwickelt seine Theorie der sozialen Erfahrung, um zu beschreiben, wie individuelle Akteure ihre Situation erleben, wie sie damit umgehen und welche Wege der Erfahrung sie in der Gesellschaft einschlagen.

Wenn die Gesellschaft nicht mehr auf ein bestimmtes integrales Programm reduzierbar ist, dann ändern sich auch die Aufgabenstellungen der Soziologie. Sie muss sich vermehrt mit dem individuellen Verhalten sozialer Akteure auseinandersetzen und deren soziale Erfahrung beschreiben.[99] Dubet entwickelt die Theorie der sozialen Erfahrung, um diese theoretischen Überlegungen in sein Forschungsdesign zu integrieren. In seinem Verständnis von Erfahrung unterscheidet er zwischen Erfahrung als emotionaler Repräsentation und Erfahrung als kognitiver Tätigkeit.[100] Erfahrungen verbinden sich auch immer mit einer emotionalen Reaktion, aber diese lässt Dubet hier außen vor. Er fokussiert sich auf die Anwendung kognitiver Fähigkeiten, die mit

97 Vgl. Dubet 1994, S. 11–20.
98 Vgl. Tietze 2001.
99 Vgl. dazu Dubet 1994, 2008.
100 Vgl. dazu Dubet 1994, S. 92f.

der Erfahrung verbunden sind und sie zu einem Ergebnis normativer Aktivitäten macht. Mit dieser Betrachtungsweise fokussiert sich Dubet besonders auf die diesen normativen Aktivitäten zugrunde liegenden Urteilskriterien, nach denen soziale Erfahrung konstruiert wird. Die mit diesem Begriff von Erfahrung eröffnete Perspektive erlaubt eine Sicht auf die akteurspezifischen Bedingungen und die makropolitischen Strukturen, in denen sich Akteure innerhalb der normativen Ordnung individuieren.[101]

Der Niedergang der Institutionen

In der Studie *Niedergang der Institutionen* arbeitet Dubet heraus, dass die Probleme nicht nur auf der Seite der sozialen Akteure liegen. Sie sind ebenfalls auf institutioneller Ebene bei den staatlichen Institutionen zu verorten.[102] Die zentrale Sorge, die sich aus diesem Text herausarbeiten lässt, dreht sich um die Frage, wie sozialer Zusammenhalt gesellschaftlich konstruiert wird. Wie lassen sich funktionierende und soziale Strukturen entwickeln, die nicht negativ präfigurierend in die Individualisierung eingreifen, sondern emanzipative Wege der autonomen Organisation von Gesellschaft eröffnen? Der Fokus dieser Studie liegt auf einer strukturellen Perspektive. Dubet arbeitet heraus, dass der Verfall der staatlichen Institutionen letztlich zu einer abgeschwächten Integrationsfähigkeit der Gesellschaft führt. Dubet zeigt hier, was er in seiner Soziologie der Erfahrung als theoretische Grundlage konstatierte: Mit dem Abnehmen strikter sozialer Bindungsmuster und der geringeren Bindungswirkung staatlicher Institutionen kommen auf soziale Akteure größere Aufgaben zu. Sie müssen ihre soziale Realität verarbeiten und strukturieren. Bisher waren staatliche Institutionen ein Garant gesellschaftlicher Integrationsfähigkeit. In den gegenwärtigen Gesellschaften übernehmen sie diese Aufgabe nur noch bedingt.[103]

In der Diskussion der postpolitischen Konstellationen ist diese Einsicht bereits in der postfundamentalen Debatte geäußert worden. Eine einheitliche Dimension des Sozialen ist nicht mehr gegeben und es eröffnen sich vielfältige soziale Handlungs-

---

101 Vgl. Dubet 1994, S. 177. Nikola Tietze hebt dazu hervor, dass bei Dubet „Erfahrungen zu einer zentralen soziologischen Kategorie postindustrieller Gesellschaftsbeziehungen" werden, vgl. Tietze 2011.

102 Vgl. Dubet 2003.

103 Vgl. Dubet 2003, S. 52–86.

optionen. Als soziale Akteure sind wir nicht mehr nur auf die Realisierung festgelegter sozialer Optionen angewiesen. Dafür sind wir allerdings nun mit dem Fehlen einer einheitlichen Ordnung des Lebens konfrontiert. Wir müssen unsere sozialen Bedeutungen und die sozialen Formen der Einbindung in die Gesellschaft selbst suchen und schaffen. Bei der möglichen Vielfalt an sozialen Existenzen gibt es keine verpflichtenden Wege der sozialen Subjektwerdung mehr.[104]

Wenn es keine festgefahrenen und verlässlichen Wege der sozialen Integration mehr gibt, dann erschwert sich allerdings zugleich die Mobilisierung von sozialer Anerkennung und Wertschätzung. Dies führt zu Dubets Perspektivenwechsel in seiner soziologischen Herangehensweise. Alle sozialen Akteure sind darauf angewiesen, sich mit ihrer sozialen Erfahrung zu befassen. In der sozialen Erfahrung kombinieren sich verschiedene Rationalitäten und Motive, die in einem Nebeneinander verschiedener Zugehörigkeiten bestehen. Soziales Handeln lässt sich nicht mehr als Folge systematischer Gesetzmäßigkeiten betrachten. Das einzige Prinzip der Einheit ist nur noch die Auseinandersetzung mit der sozialen Erfahrung.

Der Prozess der sozialen Erfahrung ist ein offener und nie abgeschlossener Prozess, der sich mit dem Fehlen einer sozialen Einheit und den Bedingungen der sozialen Heterogenität auseinandersetzen muss. Hierbei werden soziale Akteure von normativen Kriterien geleitet, die sie durch soziale Strukturen und Organisationen vermittelt bekommen haben. Aber deren Strahlkraft und Verbindlichkeit hat sich verändert.[105] Die Hauptaufgabe liegt nun in der Verarbeitung der eigenen sozialen Erfahrungen. Die hier wirkenden normativen Aktivitäten kommen immer dann zu Anwendung, wenn wir versuchen, eine Situation zu beurteilen. Ist dieses Verhalten jetzt angemessen, gut und gerecht, oder nicht? Sollte ich protestieren? Kann ich dies vertreten? Genauso verhält es sich, wenn wir Personen beispielsweise einen gewissen sozialen Status zusprechen. Dann positionieren wir sie innerhalb einer normativ wirksamen Palette sozialer Beziehungen. Die dabei jeweils

---

104 Vgl. dazu Dubet 1994, S. 253. Zum Schaffen neuer sozialer Bedeutungen vgl. Castoriadis 1984, s. 559-610 und dazu Hagemeier 2014, S. 86-95.

105 Dies zeigt Dubet vor allem am Beispiel der Schule. Als soziale Institution ist sie nur noch bedingt in der Lage, die Entwicklung notwendiger sozialer Kompetenzen zu fördern, vgl. Dubet 2003, S. 88–129.

angewendeten normativen Urteilskriterien sind die Elemente, die zur Ausbildung unserer sozialen Erfahrung beitragen. Die Relationen dieser normativen Urteilskriterien sind für Dubet Teil der „Grammatik der normativen Aktivität“[106], in der sich die Auswirkungen unserer normativen Urteilskriterien zeigen.

Drei Handlungslogiken

Als kognitive Tätigkeit werden in der sozialen Erfahrung normative und soziale Handlungsrationalitäten aufeinander bezogen.[107] Soziale Akteure streben nach einem kongruenten Sinn ihrer Handlungen. Aber es gibt keine Garantien mehr für ein kohärentes Bild der Gesellschaft. Es gibt verschiedene Antworten, aber diese Antworten sind weder einheitlich noch widerspruchsfrei. Die sozialen Akteure müssen die Bedeutungen ihrer sozialen Praktiken vielmehr aus einer heterogenen Masse von Optionen schaffen. Sie werden dabei von individuellen und kollektiven Prinzipien geleitet, welche ihre soziale Erfahrung prägen.[108] Als Zuordnungsraster identifiziert Dubet dazu drei Handlungslogiken, um soziale Erfahrung soziologisch zu erklären.[109] Jede soziale Erfahrung zeigt sich für Dubet als eine Artikulation dieser drei Handlungslogiken, die in individueller Ausprägung bei der Konstruktion von sozialer Erfahrung zur Anwendung kommen. Dies sind integrative Momente der sozialen Organisation von Zugehörigkeit, wettstreitende Momente um Ressourcen und reflexive Momente der individuellen Positionierung innerhalb sozialer Strukturen. Sie eröffnen einen Einblick in drei zentrale Bereiche sozialer Organisation, mit denen Individuen konfrontiert werden. Zugleich wird mit ihnen jeweils ein Typ von sozialer Beziehung fassbar.[110]

Die Logik der Integration

Die Logik der Integration bezieht sich auf die Aspekte der Zugehörigkeit zu einer Kultur, einer Gemeinschaft, einer Schicht, einer Klasse, schlicht zu einer oder mehreren sozialen Gruppen.[111] Dies

106 Vgl. Dubet 2008, S. 17.
107 Vgl. Dubet 2003, S. 88–129.
108 Vgl. Dubet 1994, S. 15.
109 Vgl. Dubet 1994, S. 110ff.
110 Die anschließende Darstellung der drei Handlungslogiken ist eine Zusammenfassung dieser in seinen Schriften entworfenen Dreiteilung, vgl. Dubet 1994, S. 110ff und Dubet 1995, S. 112–114.
111 Vgl. Dubet 1994, S. 112f.

ist die Familie und das nächste soziale Umfeld, das sich mit der Sozialisation und der individuellen Entwicklung in Schule und Beruf ausweitet und mit den jeweiligen sozialen oder kulturellen Praktiken auseinandersetzt. Über diesen Rahmen der Integration und Organisation von Zugehörigkeit wird die Erfahrung einer kollektiven Gruppenzugehörigkeit vermittelt, die verbunden ist mit einem sozialen Feld kollektiv geteilter Normen, Werte und Überzeugungen. Mit ihnen werden die Inklusion in einzelne Gruppen und die sozialen Relationen zu anderen Gruppen geregelt. Hier können Werte- oder Normenkonflikte zwischen Einzelnen und Gruppen auftreten, wodurch bereits erste soziale Spannungen entstehen. Innerhalb der Logik der Integration stehen allerdings die gemeinsamen Formen der sozialen Einbindung im Vordergrund.

Die Logik des Marktes

Die Logik des Marktes konfrontiert die sozialen Akteure mit sozialer Rationalität im Wettstreit um Ressourcen. Dies wird von Dubet auch als Logik der Strategie bezeichnet.[112] In den verschiedensten sozialen Bereichen stehen die Individuen wie auf einem Markt zusammen, um soziale oder materielle Ressourcen zu verteilen oder zu beanspruchen. Diese sozialen Bereiche, in denen sich unterschiedlichste kompetitive Momente zeigen, sind für Dubet nicht mehr deckungsgleich mit den Gruppenzugehörigkeiten der Logik der Integration. Strategien kommen zur Anwendung, wenn Entscheidungen auf der Grundlage individueller oder kollektiver Interessen getroffen werden. Hier befinden sich die Individuen im Wettbewerb miteinander. In einer Gesellschaft, die wie ein Markt funktioniert und organisiert ist, verfolgen und vertreten sie auf verschiedenen institutionellen und strukturellen Wegen ihre eigenen Interessen.

Die Logik der Subjektivierung

In der Logik der Subjektivierung distanzieren sich die Individuen von der sozialen Welt, um sich kritisch gegenüber den übernommenen sozialen Ordnungen zu positionieren.[113] Diese Handlungslogik ist für Dubet der Bereich eines sozialen Selbstbildes, das sich in verschiedenen Bereichen herausbildet. Hier trifft die eigene Selbstauslegung der normativen Ordnung auf die kollektiven Werte

112 Vgl. Dubet 1994, S. 112f und 1995, S. 113.
113 Vgl. Dubet 1994, S. 127–133.

und Normen der verschiedenen sozialen Gruppen. Dies ist der Bereich, in dem das subjektive Selbstbild mit den verschiedensten Formen von sozialer Ordnung konfrontiert wird. Hier zeigen sich reflexive Momente der Positionierung und Selbstorientierung in dem spannungsreichen Umgang mit den internen Bedürfnissen und den externen Umständen. Dieses Verhältnis kann zu einer kritischen Distanzierung oder zu neuen Projekten der sozialen Transformation führen.

Im Kontext der drei Handlungslogiken entwickeln Akteure ihre jeweilige soziale Erfahrung. In modernen Gesellschaften bewegen sich Akteure innerhalb dieser Handlungslogiken und die dort gemachten sozialen Erfahrungen sind nicht mehr auf einzelne soziale Rollen oder Konventionen rückführbar. In der Auseinandersetzung mit diesen Handlungsfeldern generieren Akteure das Momentum, in dem ihre Subjektivität und Reflexivität entsteht. Erfahrungen werden nicht mehr sozial zur Verfügung gestellt, sondern sie müssen von den Individuen konstruiert und normativ bewertet werden.[114]

Was bedeutet es, Erwachsen zu werden in der modernen Gesellschaft? Das ist eine Erfahrung, die jeder selbst mit prägt, eben weil es keine verbindlichen Formen der Sozialisation mehr gibt. Die großen gesellschaftlichen Institutionen, wie Schule, Verwaltung, Universitäten existieren noch, aber sie werden nur noch bedingt als bindende Elemente der sozialen Integration wahrgenommen. Dadurch gewinnt die eigene Haltung zur sozialen Erfahrung einen starken Stellenwert und sie wird zugleich zu einem wirksamen Beispiel der performativen Wirksamkeit des eigenen Handelns.

Divergierende Prinzipien der Gerechtigkeit

In der Studie *Ungerechtigkeiten* wendet sich Dubet dem Ungerechtigkeitsempfinden am Arbeitsplatz zu und untersucht die

114 Vgl. Dubet 1994, S. 105. Dubet spricht hier von Erfahrung und nicht von Handeln. Er begründet dies mit dem Verweis auf die Eigenständigkeit dieser Bereiche und die hinzukommenden kontingenten Relationen zwischen diesen Bereichen, die in der jeweiligen sozialen Erfahrung verschieden voneinander realisiert werden. Damit grenzt sich Dubet von dem Begriff des Handelns aus der klassischen Soziologie ab und spricht sich gegen eine hierarchisierende Unterscheidung dieser drei Handlungslogiken aus, vgl. auch Dubet 1994, S. 112.

damit verbundene Ausbildung von sozialer Erfahrung. Hier entwickelt er den Gedanken der Handlungslogiken weiter zu einem Modell divergierender Gerechtigkeitsprinzipien.

> „Wenn man den Gedanken akzeptiert, dass Gleichheit, Leistung und Autonomie Grundprinzipien sind, die untereinander höchst widersprüchlich sind – in letzter Konsequenz schließt jedes die anderen aus –, dann müssen sich intermediäre Sphären der Gerechtigkeit bilden, die offener sind und mehr der unmittelbaren Erfahrung der Akteure entsprechen. Die Akteure müssen »reine« Prinzipien in vermittelnden Sphären miteinander verbinden, gegensätzliche Prinzipien zusammenbringen."[115]

Einen einheitlichen Begriff der Gerechtigkeit kann es für Dubet nicht geben. Für ihn sind jeweils nur subjektive und kontextabhängige Realisierungen verschiedener konfligierender Gerechtigkeitsprinzipien denkbar.[116] Auch macht sich Dubet nicht für eine hierarchische Ordnung verschiedener Gerechtigkeitsprinzipien stark. Vielmehr redet er hier von einer Polyarchie* verschiedener Prinzipien, die mit dem Konzept der Gerechtigkeit verbunden sind.[117] Diese Polyarchie besteht aus einer Mischung der Prinzipien von Gleichheit, Leistung und Autonomie, von denen jeweils andere Aspekte in einer konkreten Situation zum Ausgangspunkt der Beurteilung herangezogen werden.

Mit dieser Haltung lehnt Dubet zugleich hegemoniale Gerechtigkeitsauffassungen ab. Er plädiert für eine polyarchische Struktur unserer Auffassungen von Gerechtigkeit, weil Gerechtigkeit auf jeweils unterschiedliche Art und Weise von individuellen und kollektiven Akteuren konkretisiert wird. Grob gesprochen kann für Arbeitende Gleichheit wichtig sein, für die Leitungsebene im Betrieb Leistung und für beide Gruppen Autonomie. In ihrer reinen Form widersprechen sich diese Prinzipien. Hier zeigt sich bereits, dass die grundlegenden Vorstellungen sozialer Gerechtigkeit in beständigem Konflikt miteinander sind.

115 Dubet 2008, S. 180.

116 Vgl. Dubet 2008, S. 33–35.

117 Polyarchie wurde in die Politikwissenschaft von Robert Alan Dahl eingeführt. Er beschreibt damit Herrschaftsformen, die nicht nur ein Zentrum haben, sondern in denen viele Zentren politischer Macht bestehen, vgl. dazu Dahl 1976, S. 59–84.

Eine wesentliche Aufgabe individueller normativer Aktivität besteht darin, diese reinen Gerechtigkeitsprinzipien in intermediären* Sphären miteinander zu verbinden. Erst dadurch bilden sich die funktionalen Rahmenbedingungen der Urteilskategorien heraus. Erst in intermediären Bereichen bilden sich subjektive Erfahrungen aus.[118] Diese intermediären Sphären strukturieren unser Handeln und durch sie sind wir in der Lage, in Konfliktfällen Lösungen zu finden. Die hier bestehende Pluralität konfligierender Gerechtigkeitsprinzipien wird von Dubet als eine praktisch notwendige Fiktion dargestellt. Denn es gibt kein „metaphysisches Pathos" mehr, wie es noch Max Weber annehmen wollte, als einen Horizont der Gerechtigkeit, in dem alle Werte im Einklang miteinander sind.[119]

Erste Ausblicke mit Dubet

Mit der als Ausgangsperspektive gewählten Position der Soziologie der Erfahrung ergeben sich Zugänge zu differenzierten Beschreibungen der Gesellschaft. Dubet wählte nicht den strukturalistischen Ansatz einer soziologischen Untersuchung über die Wirksamkeit struktureller Effekte auf soziale Akteure. Er wendet sich direkt an sie und untersucht ihre normative Tätigkeit in der Ausbildung ihrer sozialen Erfahrung.

Der Ansatz einer polyarchischen Struktur von Gerechtigkeitsprinzipien, die sich im Kontext einer dreiteiligen Handlungslogik entfalten, eröffnet neue Möglichkeiten, um sich dem spezifischen Verhalten sozialer Akteure zu nähern. Dubets setzt sich in *Ungerechtigkeiten* nicht die theoretische Auseinandersetzung mit Gerechtigkeiten zum Ziel. Ihm geht es um die konkrete Auseinandersetzung mit der subjektiven Erfahrung, in der erst ein soziales Empfinden von Gerechtigkeit gebildet wird. Auch Gerechtigkeit ist kein einheitlicher und fester Begriff mehr:

> „Wenn wir uns zum Beispiel auf den Standpunkt der Gerechtigkeit stellen, wird uns eine bestimmte Situation ungerecht vorkommen, während sie uns vom Standpunkt des individuell Geleisteten gerecht erscheint. Ungleichheiten und Ungerechtigkeiten sind keine *Fakten*, sie sind das Produkt normativer Aktivitäten, die ihnen ihre Bedeutung verleihen."[120]

---

118 Vgl. dazu und im Folgenden Dubet 2008, S. 33–35, 482.

119 Vgl. Dubet 2008, S. 482.

120 Dubet 2008, S. 16. Hervorhebung im Original.

Trotz aller Vielfalt individueller Situationen stellt Dubet die Hypothese auf, dass es bestimmte Prinzipien gibt, welche die Erfahrung von Ungerechtigkeiten im Arbeitsleben strukturieren. Hinter diesem Gedanken steckt Dubets Überlegung, dass die konfligierenden Gerechtigkeitsprinzipien keine direkte und verbindliche Aussage zur Ungleichheit erlauben. Erfahrungen müssen erst strukturiert werden, ehe Ungerechtigkeiten als solche erkennbar sind, dazu sind wir auf geteilte und vermittelnde Urteilskriterien angewiesen.[121] Dubet unterscheidet daher zwischen letztlich nicht tragbaren und in keinem Modell vermittelbaren ungerechten Ungleichheiten und noch vermittelbaren gerechten Ungleichheiten.[122]

Dubets Ansatz ist insofern bemerkenswert, weil er die Arbeit an der sozialen Erfahrung mit dem direkten Erleben von Autonomie verbindet. Sein Ausgangspunkt sind individuelle Akteure, die ihre soziale Erfahrung im Konflikt widerstreitender Positionen erarbeiten. Die individuelle Suche nach der Kohärenz des eigenen Lebensentwurfs verläuft über die kritische Distanz zu konfligierenden Prinzipien von Gerechtigkeit, respektive zu den Wahlmöglichkeiten des Lebensentwurfs in modernen Gesellschaften. Erst im Erleben sozialer Dissonanzen und Konflikte werden wir zu autonomen Subjekten.

> Das »Wunder« besteht im Grunde darin, dass die Individuen versuchen in einer Gesellschaft gerecht zu sein, die es nicht ist und vielleicht auch nicht sein kann. Ohne auf Empörung und Kampf zu verzichten, widerstehen sie der Tyrannei und den Sackgassen des Gerechten auch dadurch, dass sie nach dem Guten streben.«[123]

Mit diesem Plädoyer wird erkennbar, dass wir die Auseinandersetzung mit den von uns verwendeten Urteilskriterien suchen müssen. Sie sind der Schlüssel unseres Verständnisses der normativen Ordnung und unserer sozialen Praxis. Die Beurteilung der eigenen sozialen Position, die Situierung des eigenen Erlebens

121 Vgl. dazu Dubet 2008, S. 16ff.

122 Vgl. Dubet 2008, S. 15f. Was kann eine gerechte Ungleichheit sein? Unterschiedliche Bezahlung für gleiche Arbeit ist beispielsweise ungerecht, weil sie dem Gleichheitsprinzip widerspricht. Unterschiedliche Bezahlung aufgrund von unterschiedlichen Ausbildungs- oder Verantwortungskontexten ist leichter vermittelbar innerhalb des Gleichheitsprinzips, kann also eine gerechte Ungleichheit sein.

123 Dubet 2008, S. 489–490.

und der eigenen Perspektiven innerhalb der Gesellschaft erfolgt über die kognitive Tätigkeit der sozialen Erfahrung. Bezogen auf das Feld der Politik und den Bereich des Politischen bedeutet dies, dass die jeweils divergierenden Ausprägungen des polyarchischen Verhältnisses von Autonomie, Gleichheit und Leistung, auf diese Bereiche anzupassen sind. Unsere soziale Erfahrung wird dadurch beeinflusst, wie unsere jeweilige Polyarchie ausgeprägt ist und wie wir uns innerhalb unserer Normen und Werte positionieren.

Am Ende seiner Studie entwirft Dubet Bilder, die auf die Vorstellung einer guten Gesellschaft zurückgreifen.[124] Er setzt sich dabei mit Vorstellungen des Guten auseinander, die ebenfalls nur in intermediären Konstellationen gebildet werden. Auch hier sind jeweils normative Perspektiven auf die Gesellschaft und die eigene Position in der Gesellschaft wirksam:

> „Die gute Gesellschaft ist nicht die gerechte Gesellschaft, sondern diejenige, die am wenigsten ungerecht ist, weil sie es den Individuen erlaubt, in ihrer Subjektivität widersprüchliche Prinzipien zu verbinden. Ohne dieses Ziel vielleicht je zu erreichen, muss sie ihnen die Möglichkeit geben, sich gegen die destruktiven Wirkungen der Ungerechtigkeiten zur Wehr zu setzen."[125]

Die Dissoziation von Erfahrung ist auch auf die zunehmende Autonomie der modernen Subjekte zurückzuführen: Die Formen der sozialen Partizipation haben zugenommen und gleichzeitig hat der soziale Druck, sich sozialen vereinheitlichenden Formen zu unterwerfen, abgenommen. Subjektive Identität wird auf Kosten kollektiver Identitäten gestärkt. Für Dubet bedeutet dies, dass subjektive Ungerechtigkeiten intensiver wahrgenommen werden und kollektive Formen des Sozialen geschwächt werden.[126]

Mit der Theorie der sozialen Erfahrung eröffnet Dubet eine Position, die nicht nur den Blick auf die strukturierenden Momente des sozialen Lebens wirft, sondern auch nach den individuellen Gestaltungsmöglichkeiten fragt. Mit dem Fokus auf der sozialen Erfahrung gelingt es ihm darüber hinaus, die kritischen Momente einzufangen, in denen Menschen mit sozialer Dissoziation umgehen müssen. Hier trifft die individuelle Gestaltungsmöglichkeit und Handlungsmacht auf ihre Herausforderungen und

124 Vgl. dazu Dubet 2008, S. 490.
125 Dubet 2008, S. 490.
126 Vgl. dazu Dubet 2008, S. 416–427.

Grenzen. Hier führt die Absage an eine verbindliche soziale Einheit zu verschiedenen Konsequenzen: Für die nach Emanzipation und Selbstbestimmungen strebenden Subjekte ist hier zunächst ein wesentlicher Kernpunkt ihres Strebens erreicht. Sie können sich von einengenden und beschränkenden Mustern sozialer Organisation lösen. Dadurch entstehen allerdings Leerstellen im sozialen Gefüge. Für die sozialen Akteure verschwindet damit die Garantie, die Gesellschaft in einer verbindlichen Vorstellung zu vereinen. Dissoziation von sozialer Erfahrung bedeutet dann, dass es keine Einheit garantierenden sozialen Instanzen oder Institutionen mehr gibt. Es gibt keine gesellschaftlichen Kollektive mehr, die langfristig gesamtgesellschaftliche soziale Erfahrungen strukturieren.

Mit Robert Putnams Buchtitel *Bowling Alone* lässt sich diese Entwicklungen prägnant charakterisieren. Putnam greift in seinem Text die Beobachtung auf, dass zwar immer mehr Menschen bowlen gehen, aber sie machen es nicht mehr innerhalb einer organisierten Liga, sondern in der Tendenz eher unorganisiert und allein.[127] Dadurch schwindet seiner Ansicht nach der soziale Rückhalt innerhalb der Gesellschaft. Aber stimmt dies so umfassend? Es gibt zwar keine verbindliche soziale Einheit mehr, aber es gibt verbindende soziale Elemente, deren differenzierte Einordnung in unsere Erfahrung soziale Anschlussmöglichkeiten eröffnet. Es gibt zentrale Elemente der sozialen Zugehörigkeit, der Geschichte, wesentliche Momente der Trauer, der Freude, des Schmerzes, der Überraschung, die alle sozialen Akteure in ihre Erfahrung integrieren und über die sie auch ansprechbar und identifizierbar sind. Auch als Gruppen oder Kollektive. Der 11. September 2001 ist heute, was für die Generation davor die Mondlandung war. Zu diesen Elementen gehört die letzte Fußballweltmeisterschaft, die bekannte Polit-Affäre, die letzte Sonnenfinsternis oder andere sozial wirksame Ereignisse. All dies sind Elemente, die von sozialen Akteuren zu einem wesentlichen Element ihrer Erfahrung ausgebaut werden. Dies sind insofern kollektive Erfahrungen, als jede Person sich dazu verhält oder verhalten kann.

Wer die letzten Fußballweltmeister nicht kennt, der hat vielleicht ein begründbares Nicht-Interesse am Fußball, was wiederum Teil einer sozialen Erfahrung ist, die auch von anderen geteilt werden kann. Des Weiteren bündeln Kunstwerke oder

127 Vgl. Putnam 1995.

Denkmäler, öffentliche Bauten oder Großvorhaben kollektive Erfahrungsmomente. In Europa ist die staatliche Gesundheitsversorgung ein wesentliches Element der Politik, dass als solches nicht im Bewusstsein der Bevölkerung vorhanden ist. In den USA ist die unter dem Stichwort Obama Care bekannt gewordene Veränderung der staatlichen Gesundheitsvorsorge ein kontrovers diskutiertes Thema und ungleich stärker auch Teil einer kollektiven Erfahrung für Millionen von Menschen.

Dubet arbeitet in seinen Texten eine wichtige Beobachtung heraus, die für die Formulierung kollektiver Interessen wichtig ist. Er verweist auf die Schwierigkeiten, die sich heute für die Formulierung eines kollektiven politischen Projektes stellen. Auf individueller Ebene gibt es eine Vielzahl erlebter Ungerechtigkeiten, die auf kollektiver Ebene allerdings nicht mehr in ein kollektives Projekt überführt werden. Diesen Aspekt thematisiert Dubet unter der bezeichnenden Kapitelüberschrift *Mir geht es gar nicht so schlecht*.[128] Anhand mehrerer konkreter Fälle schildert Dubet hier den individuellen Umgang mit Ungerechtigkeiten, der zu einem tolerablen Umgang mit den erlebten Ungleichheiten in der Gesellschaft führt. Die Angst vor dem sozialen Abstieg kann bereits verhindern, einzelne Ungerechtigkeiten zu thematisieren. Der Gedanke „mir geht es doch gar nicht so schlecht“ entfaltet hier eine beschwichtigende Wirkung, welche weitergehenden Protest unterminiert: Kleine Unannehmlichkeiten gehören doch zum Leben dazu.

Soziale Bewältigungsstrategien verdeutlichen, wie sich Individuen trotz widriger Umstände mit ihrer Situation abfinden. Die Veränderung der eigenen Urteilskriterien kann allerdings dazu beitragen, die persönliche Arbeitsbelastung und die widerfahrenen Ungerechtigkeiten in einem anderen Licht zu sehen. Dann wird beispielsweise Leistung anders bewertet. Dann kann der Verzicht auf Gleichheit und Autonomie durch einen höheren Lohn kompensiert werden. Oder im sozialen Leben werden sinnstiftende Tätigkeit übernommen, welche die soziale Erfahrung von Ungerechtigkeit kompensieren. Dubet interpretiert dies dahin gehend, dass sich die vereinzelten Erfahrungen von Ungleichheit nicht mehr massiv in der eigenen Erfahrung verdichten. Es entsteht

128 Vgl. dazu und im Folgenden Dubet 2008, S. 86–95.

vielmehr eine Kluft zwischen dem individuellen Empfinden von Gerechtigkeit und dem gemeinsamen politischen Handeln.[129]

> „Die Ungerechtigkeiten, von den politischen und gesellschaftlichen Spaltungen auf diese Weise entkoppelt, zerfallen in eine Unzahl erlebter Ungerechtigkeiten in den engen Kreisen der Arbeitskollektive. Die Arbeitenden leiden unter ihren Kollegen, unter ihren Chefs, unter dem Rassismus oder der Prekarität, aber dieses Leiden veranlasst sie nicht dazu, einen eindeutig identifizierbaren sozialen Gegner anzuklagen."[130]

Dubet konstatiert hier, dass der Impuls fehlt, die eigene negative Erfahrung in eine positive kollektive Erfahrung umzubauen. Den sozialen Akteuren gelingt es nicht mehr, die individuell erlebten Ungerechtigkeiten so zu verarbeiten, dass sie zum Antrieb kollektiver Veränderungen werden. Der Umgang mit den eigenen normativen Urteilskriterien führt nicht zur Initiierung kollektiver Projekte. Vielmehr werden diese normativen Kriterien dazu verwendet, die eigene Situation in ein besseres Licht zu rücken. Dies ist eine offene Option. Sie eröffnet einen Ausblick auf Zugriffspunkte kollektiver Veränderung. Sie erklärt die Entstehung von autonomen Subjekten in der Auseinandersetzung mit der eigenen sozialen Erfahrung. Aber Dubet arbeitet heraus, dass diese Optionen zu selten genutzt werden, respektive nicht automatisch in die Formulierung eines kollektiven politischen Projektes überführt werden. Dubet geht zwar in der Ausgestaltung von kollektiv geteilten Bildern von einer grundlegenden Autonomie der sozialen Akteure aus. Aber in seinen Beobachtungen der Arbeitswelt stellt er fest, dass es nicht mehr zur Formulierung eines kollektiven Projektes kommt.

Um diesen Punkt stärker in meine Überlegungen mit einzubeziehen, greife ich im Folgenden die von Donna Haraway erstellte Theorie des situierten Wissens auf. Diese Theorie enthält ein konstruktives Moment der Ausbildung kollektiver Positionen, welche die von Dubet beschriebene Diskrepanz zwischen individueller sozialer Erfahrung und der Ausbildung eines kollektiven Projektes überbrückt. Bei Haraway wird die individuelle Erfahrung von Ungerechtigkeiten hier in kollektive Formen des Protests und der kollektiven Selbstermächtigung überführt.

---

129 Vgl. dazu Dubet 2008, S. 416–427
130 Dubet 2008, S. 311.

4.2 Haraway: Situiertes Wissen

Die Konzeption des situierten Wissens wurde 1988 von Donna Haraway in ihrem Aufsatz *Situiertes Wissen. Die Wissenschaftsfrage im Feminismus und das Privileg einer partialen Perspektive*[131] entwickelt. Haraway verbindet mit diesem Begriff die lokale Bedingtheit wissenschaftlichen Erkennens und untersucht die Auswirkungen eines solchen Wissens. Sie greift dazu Aspekte der sozialen Lokalisierung von Forschenden auf, thematisiert kontextbedingte Privilegien von Forschenden und die Auswirkungen von politischen Positionen in der Wissensproduktion.

Der theoretische Kontext, in dem Haraway diese Diskussion führt, ist die feministische Diskussion der 1980er Jahre, vornehmlich in den Vereinigten Staaten. Hier wurde der Gedanke formuliert, dass die Besonderheiten der eigenen Umgebung in die Artikulation von politischen Positionen und Wissensansprüchen einfließen sollen.[132] Haraway setzt diesen Gedanken um, indem sie darlegt, wie die Handlungsmacht sozialer Akteure in der Produktion von Wissen als kollektive soziale Praxis wirksam wird.

Die von Haraway geführte Diskussion zur Produktion von Wissen situiert sich einerseits klar in einem von feministischen Positionen geprägten Diskurs. Aber für Haraway ist andererseits schon die Auseinandersetzung mit Erfahrung politisch. Sie spricht daher von einer Politik der Erfahrung, um darauf zu verweisen, dass Erfahrungen nicht nur in Auseinandersetzung mit einer gegebenen empirischen Situation entstehen, sondern auch eine Auseinandersetzung um verschiedene Weisen der Artikulation sind:[133]

> „Die Politik der Differenz, die Feministinnen zu artikulieren haben, muss in einer Politik der Erfahrung verwurzelt sein, die nach Spezifität, Heterogenität und Verbindung *durch Kampf* sucht, nicht durch psychologische, liberale Appelle an ihre eigenen endlosen Differenzen.“[134]

Ich greife Haraway an dieser Stelle auf, um herauszustellen, inwiefern sich mit ihrer Theorie Perspektiven auf die kollektive Aushandlung von Wissensansprüchen und den kollektiven Umgang

---

131 Vgl. Haraway 1988. Wiederabgedruckt in Haraway 1991c, S. 183–202. Vgl. zu Haraway auch Bauer 2000, S. 45.

132 Vgl. dazu und im Folgenden Haraway 1991b, S. 111, und S. 239 Fußnote Nr. 3.

133 Vgl. Haraway 1991b, S. 109.

134 Haraway 1991b, S. 109. Hervorhebung im Original.

mit sozialer Erfahrung entwickeln lassen. Außerdem thematisiert Haraway Cyborgs. Das ist nicht unbedingt ein gutes Argument für eine wissenschaftliche Auseinandersetzung, aber hier entstehen aus der Verbindung von Theorie und Science-Fiction spannende Positionen.

Cyborgs: neue Bilder von Wissenschaft und Politik

Mit dem Sammelband *Die Neuerfindung der Natur: Primaten, Cyborgs und Frauen* unternimmt Haraway eine Neupositionierung des Verhältnisses von feministischer Theorie und Wissenschaft. Haraway begrenzt sich in den hier versammelten Aufsätzen nicht auf die Frage, ob Feminismus und Naturwissenschaft überhaupt etwas miteinander zu tun haben.[135] Sie kritisiert nicht einfach nur sexistische Praktiken innerhalb wissenschaftlicher Diskurse,[136] sondern sie richtet sich aus einer feministischen Position auf die grundlegenden epistemologischen Bedingungen der Produktion von Wissen.

Was hat dies mit Cyborgs zu tun? Cyborgs stehen bei Haraway für hybride Figuren, welche bestehende Grenzziehungen überschreiten. Sie stützt sich dabei auf die transgressive Relation der Science-Fiction, in der sich Elemente unserer sozialen Praxis mit imaginären Elementen verbinden.[137] Cyborgs treten in der Science-Fiction auf und sie sind Teil unserer sozialen Realität. Mit der Figur des Cyborgs entkommt Haraway dualistischen Positionen, denn Cyborgs stellen drei fundamentale Differenzierungen infrage: Dies sind die Unterscheidungen zwischen Mensch und Tier, zwischen lebenden Organismen und Maschinen und die Unterscheidung zwischen Physischem und Nichtphysischem.[138]

Die Grenzziehung zwischen Tier und Mensch ist beispielsweise immer auch eine Unterscheidung, um die Überlegenheit des Menschen gegenüber seiner Umwelt hervorzuheben. Diese Positionen haben wiederum politische und ethische Konsequenzen, die in der Tierrechtsdebatte sichtbar werden. Cyborgs heben diese Unterscheidungen nicht auf, aber sie stellen unsere sicher geglaubten Differenzierungen infrage und fordert uns zu einer Neuformulierung unserer politischen und ethischen Positionen auf.

---

135 Vgl. Haraway 1991a, S. 71,79f.
136 Vgl. Haraway 1991d.
137 Vgl. Haraway 1991e, S. 149.
138 Vgl. Haraway 1991e, S. 151–153.

Bezogen auf die Möglichkeiten der modernen Bio- und Kommunikationstechnologien gelangt Haraway zu der Ansicht, dass diese zu negativen und vor allem das politische Leben beeinträchtigenden Aspekten führen. Zugleich sind sie aber die Mittel, mit denen sich neue soziale Beziehungen etablieren lassen.[139]

> „Die Metaphorik der Cyborgs kann uns einen Weg aus dem Labyrinth der Dualismen weisen, in dem wir uns unsere Körper und Werkzeuge erklärt haben. Dies ist kein Traum einer gemeinsamen Sprache, sondern einer mächtigen, ungläubigen Vielzüngigkeit. Es ist eine mögliche Imagination einer Feministin, die in Zungen redet und dabei scharfzüngig genug ist, den Schaltkreisen der Super-Retter der Neuen Rechten Angst einzuflößen. Das bedeutet zugleich den Aufbau wie die Zerstörung von Maschinen, Identitäten, Kategorien, Verhältnissen, Räumen und Geschichten."[140]

Cyborgs stehen damit für ein hybrides postmodernes Selbst.[141] Dieses hybride Selbst konfrontiert Haraway mit zwei starken Forderungen. Sie plädiert zum einen dafür mehr soziale Verantwortung zu übernehmen und zum anderen für die Entwicklung eines eingehenderen Verständnisses der Geschichte.[142] Der Verweis auf die Geschichte muss hier nicht erschrecken. Haraway argumentiert in ihrem Text von einer feministischen Position. Aber sie positioniert sich auch eindeutig in der linken Tradition der Kritischen Theorie. In diesem Theorieumfeld entwickelt sie ihre Gedanken zur Situiertheit innerhalb bestimmter historischer Situationen. Hier findet das situierte Wissen einen Ausdruck. In der eigenen sozialen Erfahrung schließt es sich an die vorhandenen oder noch zu bildenden sozialen Fiktionen an, die partiell, widersprüchlich oder unfertig sein können.[143]

Wir müssen lernen, mit diesen brüchigen Bedeutungen umzugehen. Eine der Fragen die Haraway in diesem Text formuliert richtet sich daher auch auf die Ausgestaltung einer Politik, die mit diesen Bedeutungen umgehen kann. Auch auf kollektiver Ebene ergeben sich hier Fragen. Wie passt sich die Politik an die sich ver-

---

139 Vgl. Haraway 1991e, S. 164. Wie bemerkt ist ihr Text 1988 erschienen. Dinge wie Internet und Smartphones haben hier noch keinen Platz.

140 Haraway 1995a, S. 72.

141 Vgl. Haraway 1991e, S. 163ff. Zum hybriden Selbst der Cyborgs vgl. auch Früchtl 2004, S. 346-408.

142 Vgl. Haraway 1991e, S. 165.

143 Vgl. Haraway 1991e, S. 157.

ändernden Bedingungen der Produktion von Wissen an? Wie stellt sie sich vereinnehmenden Prozessen entgegen und wie erhält sie sich eine Offenheit gegenüber partikularen oder hybriden politischen Positionen?

Visionen, Verletzbarkeit und Objektivität

Mit der Theorie des situierten Wissens verfolgt Haraway zwei konkrete Ziele. Sie benötigt zunächst einmal eine Theorie, welche ihre epistemologischen und politischen Positionen unterstützt. Darüber hinaus formuliert sie mit dieser Theorie eine Kritik des gängigen Verständnisses wissenschaftlicher Objektivität, um einen Zugang zu partikularen Perspektiven in der Produktion von Wissen zu eröffnen. Sie erörtert dies anhand der Metapher des Sehens, mit der sie zwei entscheidende Punkte dieses alternativen Verständnisses der Produktion von Wissen zusammenführt.[144]

Der erste Punkt richtet sich auf die implizite Gewalt unserer Beobachtungen. Praktiken des Sehens oder der Visualisierung sind mit einer Politik des Sehens verbunden:

> „Vision ist *immer* eine Frage der Fähigkeit zu sehen – und vielleicht eine Frage der unseren Visualisierungspraktiken impliziten Gewalt."[145]

Sich auf etwas zu fokussieren, einen Standpunkt einzunehmen, sich zu positionieren ist immer auch damit verbunden, etwas auszuwählen und Alternativen fallen zu lassen. Diese Positionierungen sind der Schlüssel, um Wissensansprüche zu formulieren und Wissenschaft zu organisieren. Hier ist immer eine besondere Skepsis gegenüber Positionen angebracht, die dominierend vorgehen und objektive Ansprüche formulieren. Objektivität generiert sich für Haraway nicht über eine dominierende Perspektive. Objektivität realisiert sich in der Einnahme einer kritischen Position, wie sie die Theorie des situierten Wissens anstrebt.[146]

Der zweite Punkt richtet sich auf die Verletzlichkeit, die sich aus der Situierung des Wissens ergibt.[147] Wissenschaftliche Objektivität bietet in dieser Hinsicht zunächst einmal Schutz und Sicherheit. Wer sich an strikten Methoden und unhinterfragten

---

144 Vgl. dazu und im Folgenden Haraway 1988, S. 585.

145 Haraway 1995b, S. 85. Hervorhebung im Text enthalten.

146 Vgl. Haraway 1988, S. 586–587

147 Vgl. Haraway 1988, S. 590.

Prämissen orientiert, die Teil der guten wissenschaftlichen Praxis sind, der greift auf ein strukturiertes und weitestgehend anerkanntes Netz von gefestigten Wissensansprüchen zurück. Wer sich in diesem Umfeld auf eine alternative Position beruft, macht sich angreifbar und zeigt sich verletzlich. Die Lokalisierung in einer eigenen Sprache, die nicht der Übernahme einer dominanten Positionierung folgt, die sich weniger auf Autorität und Bekanntes berufen kann, ist bedrohter als die Übernahme von heteronomen und bekannten Positionen. Dies stellt nicht nur die individuelle Position, sondern das gesamte Gefüge wissenschaftlicher Wissensproduktion infrage. Für Haraway setzt hier die ergebnisoffene Suche nach besseren Zugängen zur Welt an. Das ist Wissenschaft.[148]

Situiertes Wissen ist eine Praxis, die sich einer ideologischen Schließung zu entziehen versucht. Zugleich geht sie nicht unabhängig von den gängigen Theorien und Konzeptionen vor, die in der sozialen Praxis einer Gesellschaft vorhanden sind. Situiertes Wissen strebt keine strikte Vereinzelung individueller Standpunkte an, sondern verbindet sich mit der Suche nach kollektiven Standpunkten.[149] Haraway findet hier zu einer eleganten Formulierung moderner Wissenschaftskritik:

> „Die Wissenschaftsfrage im Feminismus zielt auf Objektivität als positionierter Rationalität. Ihre Bilder sind kein Produkt einer Flucht vor und der Transzendenz von Grenzen, d.h. eines Blicks von oben herab, sondern der Verknüpfung partieller Sichtweisen und innehaltender Stimmen zu einer kollektiven Subjektposition, die eine Vision der Möglichkeiten einer fortgesetzten, endlichen Verkörperung und von einem Leben in Grenzen und in Widersprüchen verspricht, das heißt von Sichtweisen, die einen Ort haben."[150]

Wissenschaftliche Theorien und damit verbundene Wissensansprüche folgen rationalen Ansprüchen und sind dabei doch immer das Ergebnis einer bestimmten Position, einer sozialen Praxis, die nicht nur rein wissenschaftlichen Bedingungen unterworfen ist. Soziale, kulturelle, intellektuelle, geografische und

---

148 Vgl. Haraway 1988, S. 590.

149 In den späteren Ausgaben dieses Textes fehlt eine Passage, die dies verdeutlicht: „Situiertes Wissen handelt von Gemeinschaften, nicht von isolierten Individuen. Die einzige Möglichkeit, eine größere Vision zu finden, besteht darin, irgendwo Bestimmtes zu sein." Haraway 1988, S. 590.

150 Haraway 1995b, S. 91.

weitere Aspekte fließen in die Produktion von Wissen und der damit formulierten Form von Objektivität ein.[151]

4.3 Ausblicke zu Erfahrung und Wissen

Haraways angestrebte Objektivität, einer sich positionierenden Rationalität, steht für ein Wissen, das sich eine Offenheit gegenüber reflexiven und kritischen Positionen bewahren will. Die diskursiven Muster der Unterwerfung sind allerdings divers. Das situierte Wissen ist nicht davor gefeit, sich nicht in hegemoniale oder exkludierende Diskurse zu verwandeln. Situiertes Wissen positioniert sich explizit gegenüber universalistischen Positionen. Es ist mit der Anbindung an soziale Gruppen verbunden. Es ist lokal, begrenzt und ein Wissen, das nicht für alle spricht.[152] Haraway plädiert daher für eine Auseinandersetzung mit den eigenen soziokulturellen Hintergründen und eine Reflexion eigener Privilegien. Objektivität entsteht dann durch die kritische Positionierung in der sozialen Praxis.[153]

Aber wie kann diese kritische Positionierung aufrechterhalten werden und wie lassen sich von diesen situierten Kollektiven ethische oder eben politische Positionen formulieren? Ein Beispiel, wie sich ein situiertes Wissen in einer Diskussion verhalten kann, stammt von Slavoj Žižek, der in einer Diskussion mit solch einer Position konfrontiert wurde:

> „Denn die Frau sagte zu mir bloß: Schauen Sie, ich bin schwarz, ich bin eine Frau, ich bin alleinerziehende Mutter, ich habe Aids – und ich bin mit Ihnen absolut nicht einverstanden, verstanden? Ich war schockiert, als ich feststellte, dass dieses Pseudo-Argument von den anderen Studenten offensichtlich als begründeter Einwand akzeptiert wurde. Ich stand von da an auf verlorenem Posten."[154]

Die eigene kritische Situierung wird hier zu einem Verständnis von Objektivität ausgeweitet, das sich einer weiteren argumentativen Diskussion entzieht. Die eigene partikulare Situation wird hier zur Basis eines transzendentalen Ausstiegs aus dem Diskurs. Aber es

---

151 Das gängige Verständnis wissenschaftlicher Objektivität arbeitet der von Haraway vorgestellten Situierung des Wissens entgegen, vgl. Haraway 1988, S. 580f.

152 Vgl. Haraway 1988, S. 584.

153 Vgl. Haraway 1988, S. 586–587.

154 Scheu 2016a.

kann nicht Maßgabe des situierten Wissens sein, nur die eigene Position anzugeben, ohne weiterhin Argumente zu reflektieren. Es stellt sich die Frage, wie sich in einer Argumentation, auf der Basis situierten Wissens Ebenen eröffnen, auf denen Argumente ausgetauscht werden können, ohne die eigene Position als Ausweg aus dem rationalen Diskurs zu benutzen.

An dieser Stelle ist es wichtig, die prinzipielle Offenheit der geführten Diskurse zu erhalten. Aus der Diskussion des situierten Wissens ergeben sich Perspektiven auf die kollektive Ausgestaltung der sozialen Praxis. Die Formulierung einer partikularen Identität und die Situierung der eigenen Position sind dann erste Schritte, um die eigene soziale Erfahrung besser auszudrücken, um die eigenen Urteilskriterien zu reflektieren. Dabei ist allerdings zu beachten, dass es nicht – wie in dem Beispiel von Žižek – zu einer Verzerrung der politischen Auseinandersetzungen kommt.

Žižek sieht eine gezielte Depolitisierung der Diskussionskultur ins Werk gesetzt. Diskussionen drehen sich nicht mehr um die Formulierung politischer Perspektiven, sondern um die Anerkennung partikularer Identitäten.[155] Die Auseinandersetzung dreht sich dann nicht mehr um eine Reorganisation der Gesellschaft. Sie dreht sich nicht mehr um eine kollektive Ausgestaltung der Politik, sondern nur um eine bessere Positionierung der eigenen partikularen Positionen. Dann kommt es zu Interessensverschiebungen:

> „Mitglieder einer Community ersetzen die gemeinsame Suche nach Wahrheit durch das Streben nach Zugehörigkeit. Ihnen geht es nicht mehr um neue Erkenntnis, sondern um die eigene Identität."[156]

---

155 Žižek hat dieses Problem bereits in *Die Tücke des Subjekts* aufgegriffen, vgl. Žižek 2001, S. 302. Dort kritisiert er die Entpolitisierung der Kulturwissenschaften, die sich nicht mehr um eine politische Auseinandersetzung drehen, sondern auf die Anerkennung von partikularen Identitäten fokussieren. Dazu auch Žižek 2002, S. 20. In *Die Tücke des Subjekts* führt Žižek Butler als Beispiel einer Denkerin ein, in deren Theorie der Stellenwert der kulturellen Anerkennung einen größeren Stellenwert zugemessen wird als der Auseinandersetzung mit sozioökonomischen Kämpfen. Diese Gewichtung spiegelt sich für Žižek in der multikulturellen Perspektive der Identitätspolitik wider, einem Beispiel, wo sich der Wechsel von der Kritik der politischen Ökonomie zu den Cultural Studies bereits vollzogen hat, vgl. Žižek 2001, S. 10.

156 Scheu 2016b. In dem gleichen Absatz kommt René Scheu auf eine „kuratierte Gruppenidentität" zu sprechen, die eine nach außen

Diesen Vorwurf formuliert René Scheu, der sich ebenfalls gegen die tendenziöse Ausformulierung eines situierten Wissens erheben lässt. Denn mit dem situierten Wissen, das sich um eine geteilte Herkunft, ein geteiltes Schicksal oder eine gemeinsame Erfahrung gruppiert, besteht die Gefahr, dass sich die Suche nach Erkenntnis zur reinen Suche nach Identität und Zugehörigkeit wandelt. Dann geht die Offenheit verloren, die in der initialen Phase der Begründung eines situierten Wissens noch vorhanden war.

Vordergründig ist dem situierten Wissen eine Abgrenzung gegenüber offiziellen oder als objektiv dargestellten Wahrheiten inhärent. Soziale Akteure, die situiertes Wissen formulieren, befinden sich eher in einer Bewegung der Reflexion auf die eigene Position, der eine Offenheit gegenüber anderen Positionen und Perspektiven nahe liegt. Die Position des situierten Wissens kann hier erst die Möglichkeit bieten, um eine vehemente Kritik an bestehenden sozialen Strukturen und normativen Ordnungen zu formulieren. Aber es gibt mit dem situierten Wissen keine Garantie, dass diese Offenheit erhalten bleibt und nicht in der Suche nach Identität und Zugehörigkeit verloren geht.

Für den Umgang mit dem situierten Wissen, wie für die Organisation aller gesellschaftlichen Debatten, ist die Handhabung der vorgebrachten Begründungen ausschlaggebend. Gibt es nachvollziehbare Gründe, die für ein situiertes Wissen sprechen? Werden diese Gründe zur Diskussion gestellt oder entziehen sie sich der weiteren Argumentation? Dienen diese Gründe zur Abgrenzung oder Unterbindung einer Debattenkultur? Tragen sie zu einer kritischen Evaluierung der normativen Ordnung bei? Werden sie als Teil eines gemeinsamen Glaubensbekenntnisses, einer Weltanschauung oder Ideologie vorgetragen? Oder sind sie Teil eines Begründungskontextes, der sich durch Offenheit und Kritikfähigkeit auszeichnet?

In der Auseinandersetzung mit sozialer Erfahrung und situiertem Wissen entstehen Zugriffsmöglichkeiten auf die Momente der Produktion unserer Urteilskriterien und unserer Wissensansprüche. In beiden Theorien ist der Umgang mit normativen Begründungskontexten ein zentrales Element. Über die Theorie der sozialen Erfahrung bringt uns Dubet mit den Bedingungen der Veränderung unserer Urteilskriterien in Kontakt.

---

abgrenzende Wirkung entfaltet und sich nur intern solidarisch verhält. Vgl. ebd.

Haraways situiertes Wissen erlaubt es, die inferenziellen Beziehungen kollektiver Muster der sozialen Praxis anzusprechen, in denen wir uns bewegen. In der sozialen Praxis geben individuelle und kollektive Urteilskriterien damit Orientierungen vor, nach denen sich regelgeleitetes Handeln ausrichten kann. Die hier angewendeten Urteilskriterien sind der Schlüssel zu unserem Verständnis normativer Ordnungen und für eine Veränderung unserer sozialen Praxis. An diesem Punkt werden die postpolitischen Konstellationen virulent.

Die Formulierung von Wissensansprüchen

Die normative Aktivität der sozialen Erfahrung eröffnet Räume, in denen politische Konstellationen neu ausgehandelt werden. Räume, die offen sind für eine politische Streitkultur, in denen Urteilskriterien neu verhandelt und diskutiert werden können. Damit wird sichtbar, dass sich die Frage nach der Handlungsmacht sozialer Akteure nicht nur auf individuelle und kollektive Handlungsmöglichkeiten erstreckt. Es werden auch erkenntnistheoretische Aspekte berührt, die mit der Formulierung von kollektiven Wissensansprüchen verbunden sind. Damit wird nicht nur nach den akteurspezifischen Dispositionen zum Handeln gefragt, sondern auch nach den Bedingungen, unter denen eine autonome Formulierung von Wissensansprüchen möglich ist.

In der Diskussion von Dubet und Haraway kann dem Status der entworfenen Wissensansprüche nicht ausgewichen werden: Für alle Teilnehmenden der Wissensproduktion gilt, dass sie von einer breiten Palette von Prämissen abhängig sind, von denen die Formen ihrer Erfahrung, ihrer Erkenntnis und ihres Wissens geprägt werden. Diese Prämissen bilden sich in normativen Diskursen und treten als sozial geteilte Formen der Begründung auf. Diese Prämissen stehen für die vorherrschenden sozialen Diskurse, die in der sozialen Praxis enthalten sind. Die Bedingungen, unter denen Wissensansprüche formuliert werden, ändern sich mit dem Wandel der sozialen Produktion von Wissen. Diese Produktionsverhältnisse sind nicht unpolitisch. Sie sind abhängig von den in einer sozialen Praxis enthaltenen normativen Ordnungen.

Eine Erkenntnistheorie, welche die Relationen zwischen normativen Begründungen und der sozialen Praxis untersucht, liegt mit Robert Brandoms Inferenzialismus vor.[157] Spannend an der Theorie des Inferenzialismus ist die Begründung von normativen Wissensansprüchen in enger Relation zur sozialen Praxis. Brandoms Buch *Expressive Vernunft* ist eine Studie über den Gebrauch von Sprache und die Verwendung von Begriffen in sozialen Kontexten. Über den Gebrauch von Begriffen wird in der sozialen Praxis für Brandom erklärbar, was Begriffe bedeuten. Dazu muss für Brandom vor allem das implizite Wissen ausgedrückt und kenntlich gemacht werden, auf das wir zurückgreifen, wenn wir mit begrifflichen Aussagen umgehen. Daher der englische Titel dieses Buches: *Making it explicit.* Über die gegenseitige Implikation von Bedeutungen entstehen inferenzielle Netze von Begriffen, die sich implizieren oder die impliziert werden können. Brandom hebt dazu hervor, dass sie beim Explizieren begrifflicher Aussagen „sowohl als Prämisse als auch als Konklusion in *Inferenzen* fungieren“[158] können. Dies charakterisiert Brandom als ein Spiel des Gebens und Nehmens von Gründen.[159] Begriffliche Aussagen erklären sich in diesem Geben und Nehmen von Gründen durch das Explizieren impliziter Beziehungen. An Menschen kann immer die Frage nach den Gründen für ihre Handlungen, Einstellungen oder Überzeugungen gestellt werden. Und in einer Antwort werden begriffliche Aussagen, mit ihren impliziten Relationen zu anderen Begriffen verwendet, um eine Begründung zu geben. Der Bezug zur sozialen Praxis findet sich im Austausch von Begründungen, wo die Art und Weise der Verwendung von Begriffen, über deren Gehalt mit entscheidet.

Bei Dubet und Haraway sind jeweils theoretische Elemente identifizierbar, in denen die in einer sozialen Praxis formulierten oder sich anbietenden inferenziellen Wissensansprüche thematisiert werden. Dubet untersucht diesen Umgang mit der sozialen Praxis aus soziologischer und Haraway aus feministischer Perspektive. Beide können in eine positive Beziehung zu Brandoms Inferenzialismus gesetzt werden. Dubet fokussiert sich auf die Aktivität der sozialen Erfahrung, um sich den Kontexten zu

---

157 Der erkenntnistheoretische Ansatz des Inferenzialismus von Robert Brandoms lässt sich bereits in seinem Text *Freedom and Constraint by Norms* von 1979 ausmachen und wird in *Expressive Vernunft* umfangreicher dargelegt, vgl. Brandom 1979 und Brandom 2000.

158 Brandom 2001, S. 22. Hervorhebung im Original.

159 Vgl. Brandom 2000, S. 22.

nähern, mit denen sich Individuen oder Kollektive den regelgeleiteten Umgang mit der normativen Ordnung in ihrer sozialen Praxis erschließen. Haraway fokussiert sich mit dem situierten Wissen stärker auf den Aspekt der Lokalisierung einer sprachlichen und begrifflichen Praxis in lokalen Kontexten, in denen Begründungen geteilt werden.

Für beide Theorieansätze gilt zudem die postfundamentale Position, dass es keine umfassende Beschreibung der sozialen Totalität mehr gibt. Letztbegründungen zur Erklärung der sozialen Praxis werden abgelehnt. Vielmehr fokussieren sich beide Theorien darauf, erkenntnistheoretische Elemente der sozialen Praxis zu untersuchen, die wir als Maßgabe unserer Organisation von sozialer Praxis verwenden. In beiden Theorien werden Aspekte der Reflexion diskutiert, mit denen unsere Urteilskriterien und die von uns verwendeten inferenziellen Netze, in denen Begründungen zusammengestellt werden, untersucht werden können. In diesem Sinne setzen sich beide auch mit erkenntnistheoretischen Ansätzen auseinander, insofern sie sich mit den sozialen Kontexten befassen in denen Begründungen gehandelt werden.

Epistemische Autonomie

In der Auseinandersetzung mit den Grundbausteinen der Subjektivität Subjekt begegnete uns die These, dass wir eine kritische Differenz zwischen der internen Übernahme und der externen Weitergabe von Wissenselementen benötigen. Dieses kritische und selbstreflexive Moment ist ebenfalls im Umgang mit den Urteilskriterien unserer sozialen Erfahrung und unseres situierten Wissens angebracht.

Sind Internalisierung und Externalisierung identisch, wird die bestehende Ordnung nur performativ bestätigt und reproduziert. Diese Option richtet sich auf Homogenität und Identität aus: Wer der Identität folgt, erlangt eine Homogenisierung seiner Anschauungen mit denen der Gesellschaft. Hierdurch eröffnen sich vorteilhafte Anschlussmöglichkeiten. Identität wirkt dann wie der Algorithmus bei Facebook: Wir werden nur noch mit dem konfrontiert, was wir bereits kennen. Neue, abweichende oder konfligierende Positionen werden unsichtbar.

Wenn wir der Internalisierung folgen, realisieren wir soziale Anschlussmöglichkeiten, schließen aber zugleich Möglichkeiten aus, die uns zu abweichenden oder kritischen Positionen führen könnten. Über eine permutierende Reartikulation regulierender Normen gelangen wir zu alternativen Ausgestaltungen von Normen, sobald wir sie performativ umgestalten und verändern. In der kritischen Differenz zwischen der internen Übernahme und der externen Weitergabe von Normen liegt ein Ansatzpunkt für epistemische Autonomie.

Epistemische Autonomie zeigt sich im Umgangs mit impliziten normativen Ansprüchen. In Prozessen der Internalisierung sind Subjekte auf die Übernahme epistemischer Positionen angewiesenen. In der Externalisierung dieser Positionen präsentieren sie dann eine eigene Positionierung. Nicht alles Wissen und Erkennen ist neu. Wissen, Wissensansprüche und kollektiv eingebundene Begründungen sind Ergebnis einer sozialen Praxis, in der Denken und Handeln von Prämissen und Konventionen geleitet werden. Im reflektierten Umgang mit diesen Konventionen eröffnen sich Zugriffe auf Formen epistemischer Autonomie, mit denen die Grundlagen der eigenen Wissensansprüche reflektiert werden können. Oder, um bei Brandom zu bleiben, wo die Begründungen begrifflicher Aussagen innerhalb des sozialen Kontextes geteilt werden.

Überzeugungen und Urteile sind nicht nur in Brandoms Spiel des Gebens und Nehmens von Gründen eingebunden. In jeder reflektierten Auseinandersetzung tragen wir zur Bildung epistemischer Begründungen bei. Epistemische Autonomie ist an diese Ausformulierung von Begründungen gebunden, wie sie in der Auseinandersetzung mit der Formulierung unserer Urteilskriterien oder der Situierung unseres Wissens vorgenommen werden. Begründungen erlauben dann eine Nachvollziehbarkeit der eigenen Urteile und Überzeugungen und erschließen weitere Begründungen innerhalb inferenzieller Relationen der sozialen Praxis.

Epistemische Autonomie bedeutet hier zunächst die Rückgewinnung von Formen der Selbstbeschreibung und die damit sich realisierenden Formen individueller und kollektiver Handlungsmacht, auf erkenntnis- und handlungstheoretischer Ebene. Wir verfügen über diese Agency, als epistemische Autonomie, wenn wir die Kontexte, Orte und Themen der Auseinandersetzung mitbestimmen können und entscheiden können, was verhandelt wird, in welchen Konstellationen Begründungen vertreten werden und wie soziale Erfahrung geordnet wird. Dazu ist es wichtig, die

Handlungsmacht sozialer Akteure zu stärken, um die Bedingungen epistemischer Autonomie zu verbessern.[160]

Verpflichtende Sozialbeziehungen

Epistemische Autonomie, als Rückgewinnung von Formen der Selbstbeschreibung und der Handlungsmacht, ist nicht losgelöst von einer sozialen Praxis. Die Übernahme externer Normen erleichtert uns die Herstellung von Anschlussfähigkeit. Wir sind leichter zu verstehen, wenn wir uns in geteilten kollektiven Begründungen bewegen, wenn wir die gleiche Sprache sprechen oder den gleichen Konventionen folgen. Wir können willkürliche Lautäußerungen machen. Wir können uns unkonventionell verhalten und uns dem Spiel des Gebens und Nehmens von Gründen entziehen. Aber wenn wir verstanden werden wollen, in der sozialen Praxis mit anderen kooperieren wollen, müssen wir uns auf geteilte Konventionen, geteilte inferenzielle Muster der Begründungen und auf geteilte Normen einlassen.

Dieser Schritt beinhaltet zwei wesentliche Vorteile. Der erste Vorteil zeigt sich in der von Brandom entwickelten Position, dass über die Frage der Korrektheit nur innerhalb kollektiver Strukturen entschieden werden kann, in denen bestimmte Formen von Begründungen oder performativen Akten geteilt werden.[161] Die Frage der korrekten Verwendung von Begründungen oder von performativen Akten lässt sich nur innerhalb einer kollektiven Praxis beantworten. Dazu muss klar sein, was innerhalb einer gegebenen sozialen Praxis als korrekte Performance oder korrekte Begründung angesehen wird. Über die korrekte Performanz einer Begründung entscheidet dann immer die entsprechend betroffene Gruppe.

Für Brandom stellt sich hier die Frage der zutreffenden Übersetzung von divergierenden oder nicht-kompatiblen Begründungen. Um Begründungen zu verstehen, ist die eigene soziale Praxis hilfreich: Wir wissen, was wir in einer gegebenen Situation machen würden.[162] Über die Übersetzungsleistung in die eigene soziale Praxis kann gewährleistet werden, dass performative

---

160 Eine alternative Fassung dieses Gedankens findet sich bei Cornelius Castoriadis. In *Gesellschaft als imaginäre Institution* beschreibt er dies als die Suche nach dem eigenen Logos*, vgl. dazu Hagemeier 2014, S. 80ff.

161 Vgl. Brandom 1979, S. 188.

162 Vgl. Brandom 1979, S. 191.

Handlungen in Übereinstimmung mit einer anschlussfähigen sozialen Praxis verstehbar werden.

Der zweite Vorteil ergibt sich aus den positiven Folgen des Eingehens verpflichtender Sozialbeziehungen. Brandom setzt sich dazu mit der ermächtigenden Rolle von Normen auseinander. Normen treten nicht nur einschränkend und regulierend auf, sondern sie ermöglichen erst die Disposition zu individueller oder kollektiver Handlungsmacht.[163] Dazu untersucht er das Verhältnis von Handeln und Normen unter dem Aspekt der Freiheit. Das zentrale Thema für Brandom ist dabei die Bestimmung expressiver Freiheit, in der etwas Neues geschaffen oder auf neue Art ausgedrückt werden kann. Um für diese Position zu argumentieren, kontrastiert Brandom in seinem Text Kants Bestimmung von Freiheit, als eingeschränkt durch Normen, mit Hegels Position der Freiheit als einen Selbstausdruck, der durch die Duldung der Normen einer Gemeinschaft ermöglicht wird.

Der zentrale Konflikt zwischen Kant und Hegel besteht in der Frage, welche Rolle die Inhalte einer gegebenen Norm haben, um über ein Befolgen zu entscheiden. Regulierende Normen sind Sollensforderungen, auf die Individuen reagieren. Kant steht hier beispielhaft für die sokratische Position, einer gestrengen Pflicht gegenüber dem Befolgen sozialer Normen. Sokrates ergriff nicht die Chance zur Flucht, die ihm im Gefängnis angeboten wurde. Er trank den Schierlingsbecher und folgte damit dem Sollen der Gesellschaft, in dessen Regelsystem er lebte.

Kants Pflichtethik hat hier einen Zug, der für Hegel und Brandom unattraktiv ist. In Kants Verständnis von Freiheit findet der Inhalt von Normen keine Beachtung. Sie werden vielmehr nur rein formal als Norm betrachtet. Hegel bietet für Brandom den Vorteil, den kantischen *constraint of norms* in alternativer Form wieder aufzugreifen, in der Brandom sein Verständnis expressiver Freiheit gründet. Einer Freiheit, die jeweils an die Normen der sozialen Praxis gekoppelt ist, in der Menschen sich bewegen.[164]

Wie bei Foucault und Butler wird Hegel hier als eine positive Bezugsgröße verwendet und seine Theorie als Korrektiv angeführt. Regulierende Normen haben eine ordnende und bindende Funktion. Brandom legt mit Hegel den Schwerpunkt darauf, dass erst diese verpflichtenden Sozialbeziehungen eine positive Form

163 Vgl. dazu und im Folgenden Brandom 1979, S. 193–194.

164 Vgl. Brandom 1979, S. 193.

der Freiheit ermöglichen. Die expressive Freiheit gründet sich für Brandom in verpflichtenden Sozialbeziehungen: Darüber eröffnen sich erst die Zugriffspunkte auf die Bestimmung der eigenen sozialen Praxis und auf die Aufgaben, welche soziale Normen in ihr übernehmen. Das Eingehen von verpflichtenden Sozialbeziehungen ist ein wichtiger Schritt, um soziales Vertrauen zu schaffen und zu stärken. Verlässlichkeit, individuelle und kollektive Sicherheit, verbindliche Strukturen sind wesentliche Elemente und Ermöglichungsbedingungen des sozialen Zusammenlebens, die durch geteilte Normen und geteilte Muster inferenzieller Begründungen gestärkt werden.

Verpflichtende Sozialbeziehungen begegneten uns bereits in der Auseinandersetzung mit den Grundbausteinen der Subjektivierung.[165] Soziale Verpflichtungen sind Teil unserer sozialen Praxis und bestimmen unseren Umgang mit Normen und Werten. Wir sind abhängig von diesen sozial geteilten Normen. Erst sie schaffen die uns vertraute soziale Praxis. Wir müssen dabei nicht unbedingt alle regulierenden Normen vollständig übernehmen, aber wir müssen uns an geteilte Muster der Begründung anlehnen, wenn wir verstehen und verstanden werden wollen. Dabei sind wir bereits über unsere gesellschaftliche Positionen an die sozial vorhandenen Normen angebunden, mit denen unsere erkenntnis- und handlungstheoretische Handlungsmacht präfiguriert wird. Wir erfahren uns als situiert innerhalb einer normativen Ordnung, bilden unsere soziale Erfahrung aus und versuchen einen selbstbestimmten Umgang mit den uns zur Verfügung stehenden Orientierungsmustern zu finden. Dieser Versuch des selbstbestimmten Umgangs ist mit Formen epistemischer Autonomie verbunden, in denen wir uns mit den uns bekannten Mitteln beschreiben. Wir agieren in der Auseinandersetzung mit divergierenden Wissensansprüchen und divergierenden Mustern inferenzieller Begründungen und versuchen uns am adäquaten Umgang mit divergierenden Formen von Korrektheit.

In diesen Auseinandersetzungen liegen Anfänge des Politischen. Der jeweilige Umgang mit regulierenden Normen ist verbunden mit einer bestimmten Auffassung, die in einer sozialen Praxis präsent ist. Die Ausformulierung neuer Wissensansprüche ist bereits politisch, weil damit Einfluss auf die Veränderung der kollektiven Modalitäten unserer Ausbildung von Wissen

165 Vgl. Kapitel 3.3.

genommen wird: Regulierende Normen schaffen soziale Fakten und geben an, wie Dinge oder Sachverhalte in einer sozialen Praxis wahrgenommen, umgesetzt oder verstanden werden. Um uns in diesen sozialen und politischen Auseinandersetzungen zu orientieren, sind wir auf eine Fähigkeit angewiesen, die in der Antike als *phronesis** bezeichnet wurde. Dies ist die Fähigkeit der Klugheit. In sozialen Situationen können wir nur über den Verweis auf teilbare Begründungen zu neuen Erkenntnissen oder neuen Ausgestaltungen der sozialen Praxis gelangen. Dazu sind wir auf eine Form der Orientierung angewiesen, die wir im Umgang mit Normen und Begründungen ausbilden und die wir für den regelgeleiteten Umgang mit Normen und kollektiv geteilten Begründungen benötigen. Andreas Luckner charakterisiert die antike *phronesis* daher entsprechend als Selbstorientierungskompetenz, die innerhalb unseres Lebens in unserem Denken und Handeln zum Tragen kommt.[166]

Wir benötigen Klugheit und Formen des klugen Handelns, um uns in unseren individuellen oder kollektiven Entscheidungen zu orientieren. Klugheit unterstützt uns bei der Reflexion individueller und kollektiver Urteilskriterien und erlaubt die Identifikation mit einer bestimmten sozialen Praxis, in der wir uns situieren. Die von Foucault und Butler beschriebenen Momente des Widerstands gegen bestehende Diskurse oder der alternativen Einsetzungen einer normativen Ordnung durch performative Akte, sind Momente, in denen auf diese Fähigkeit und die Möglichkeit des autonomen Selbstausdrucks zurückgegriffen wird. Bei Brandom verbindet sich diese Selbstorientierungskompetenz mit der expressiven Freiheit. Sie ist ein Aspekt der Selbstkultivierung, wenn expressive Freiheit ausgeübt wird. Sie ist aber auch ein Aspekt der kollektiven Kultivierung neuer sozialer Praktiken.[167] Letztlich gilt dies für alle Bereiche des sozialen und politischen Lebens, die durch Normen geprägt sind, die wir verstehen müssen, um sie befolgen zu können. Vor allem dann, wenn wir eine kooperative Ausgestaltung der kollektiven sozialen Praxis anstreben.

---

166 Vgl. Luckner 2005, S. 78.
167 Vgl. Brandom 1979, S. 194.

5 Kooperative Handlungsmacht

Bisher lag der Fokus überwiegend auf der individuellen Handlungsmacht sozialer Akteure, als Zuspitzung und Präzisierung des Problems der Selbstbestimmung innerhalb strukturierender sozialer Beziehungen. Das Theoriedesign zum Subjekt als sozialem Akteur veranschaulicht, wie wir über die performative Reartikulation normativer Ordnungen Handlungsmacht erlangen. Ein Ansatzpunkt für autonomes oder selbstbestimmtes Handeln eröffnet sich, wenn im Umgang mit bestehenden Ordnungen aus einer sozialen Praxis heraus Veränderungen initiiert werden. Das Theoriedesign zu den Bereichen Erfahrung und Wissen erweiterte diesen Bereich um den Aspekt des Umgangs mit unserer sozialen Erfahrung und der Konstruktion kollektiver Wissensansprüche. Hier wurde allerdings deutlich, dass eine unzureichende Einbindung in soziale Strukturen und die zunehmende Belastung durch die Tätigkeit der sozialen Erfahrung nicht dazu führen, dass kollektive Strukturen gegenseitiger Unterstützung etabliert werden.[168] Kollektive Strukturen werden vielmehr nur eingeschränkt als Mittel der Unterstützung ausgemacht und in Anspruch genommen.

Ebenso, wie ein „Sei doch mal spontan!“ eher selten wirkt, ist der Appell eines „Seid kooperativ!“ nur bedingt wirkungsvoll. Klar, eine Aufforderung kann motivieren. Allein die Notwendigkeit zum Appell verdeutlicht bereits, dass es offensichtlich Hindernisse gibt, die einer konstanten Spontanität oder Kooperation im Wege stehen. Warum wird die individuelle Entscheidung zugunsten sozialer Kooperation seltener getroffen? Warum entscheiden wir uns nicht öfter dazu, die Verhältnisse gemeinsam zum Besseren zu ändern? Keine Frage, die Organisation von gemeinsamem Handeln ist anstrengend. Sie kostet Zeit und verbraucht damit eine Ressource, die nicht uneingeschränkt zur Verfügung steht. Zudem gibt es einfache Mechanismen, um die eigenen Probleme zu kompensieren, ohne damit zur Ausbildung langfristiger kollektiver Strukturen beizutragen. Auf diese Problemstellungen antwortet das Theoriedesign zur kooperativen Handlungsmacht.

Wie entsteht kooperative Handlungsmacht? Sie entsteht aus der getroffenen Entscheidung zugunsten sozialer Kooperation und aus dem individuellen Selbstverständnis einer kooperativen Identität heraus. Treffen diese beiden Aspekte aufeinander, tragen sie zur

168 Vgl. Dubet 2008, S. 416–427.

Ausbildung kooperativen Handelns bei. Allerdings gibt es keine Garantie, dass beide Aspekte immer zusammenfinden.

Beginnend mit dem Aspekt der Entscheidung für soziale Kooperation werde ich zunächst zeigen, dass eine grundlegende Verschiebung unseres Verständnisses von Klugheit stattgefunden hat. Dies führt dazu, dass sich soziale Akteure zunehmend gegen soziale Kooperation entscheiden. Um dieser Veränderung nachzugehen, werde ich zunächst nochmals zu Foucault zurückkehren. Sein Konzept der Sorge um sich eröffnet eine Fundierung sozialer Kooperation. Foucault operiert dabei mit dem Begriff der Klugheit, an dem sich gut herausarbeiten lässt, dass eine grundlegende ideologische Verschiebung innerhalb unserer sozialen Praxis stattgefunden hat. Dazu werde ich eine problematische Lesart des heutigen Verständnisses von Klugheit entwickeln, das erklärt, inwiefern wir uns an der Etablierung von kollektiven kooperativen Tendenzen hindern.

Damit erhalten wir einen ersten Ansatzpunkt, wie wir wieder vermehrt kooperative Perspektiven zurückgewinnen können. Einen weiteren Ansatzpunkt erhalten wir, wenn wir uns mit unserem kooperativen Selbstverständnis auseinandersetzen. Der Begriff des Bürgers kann dazu als Idealfigur sozial-kooperativer Tendenzen identifiziert werden. Zugleich gibt es problematische und kritische Aspekte, die gegen eine Reaktivierung dieses Begriffs sprechen. Diese Diskussion werde ich anschließend aufgreifen und mich auf die daraus entwickelten Positionen stützen, um sie als Aspekt einer kooperativen Identität zu aktivieren. Dies wird keine staatsbürgerliche Mentalität sein, die durch Tugenden und eine strikte Moral geprägt ist. Im besten Fall entsteht ein offenes soziales Selbstverständnis, das mit dem hier verwendetem Verständnis von Politik, als der Ausgestaltung normativer Ordnungen, umgehen kann.

5.1 Klugheit und die Sorge um sich

Das Treffen von Entscheidungen ist ein wesentlicher Bestandteil des menschlichen Lebens.[169] Wir entscheiden uns ständig für oder

169 Bezeichnend ist für mich hier die grundlegende Bemerkung von George Spencer-Brown in *Gesetze der Form*: „Treffe eine Unterscheidung." (Spencer-Brown 1979, S. 3.) Unterscheiden ist bei Spencer-Brown eine grundlegende Bestimmung, eine Geste, auf die Niklas Luhmann in der Grundlegung seiner Systemtheorie gerne Bezug nimmt. Erst mit einer Unterscheidung wird ein Bereich abgegrenzt, identifiziert und dadurch

gegen etwas. Ganz gleich ob es sich dabei um private, berufliche, individuelle oder soziale Belange handelt. Ohne Entscheidungen könnten wir nicht überleben. Wenn wir uns für kooperative Belange einsetzten, dann machen wir dies aufgrund einer Entscheidung. Entscheidungen sind auch die Grundlage für unser Einstehen für unsere eigenen Interessen. Nur was brauchen wir, um Entscheidungen zu treffen und was wäre, wenn die Fähigkeit kluge und gute Entscheidungen zu treffen getrübt wird? Diesem Gedanken gehe ich zunächst mit Rückgriff auf Foucaults Sorge um sich nach.

Die Sorge um sich begegnete uns bereits beim handelnden Subjekt, das nach Praktiken der sozialen, politischen oder moralischen Befreiung strebt.[170] Dadurch konnte ich im Rahmen des zweiten Theoriedesigns zeigen, wie sich mit Foucault individuelle Handlungsmacht begründen lässt und wie diese in Subjekten verankert ist, die nach Praktiken der Befreiung streben. Das Beispiel dort war Antigone, die als moralisch Handelnde, um eine Entscheidung ringt, diese trifft und mit deren Folgen umgehen muss. Mit Antigone nahm es kein gutes Ende. Sie musste unter Bedingungen handeln, die sich aus den Konstellationen konfligierender normativer Ordnungen ergaben. Für Foucault zeigte sich hier, die mit seiner Redeweise von der Ästhetik der Existenz thematisierte Problemstellung, dass wir als moralisch Handelnde keine verbindlichen und von allen geteilten Moralvorstellungen mehr haben. Damit müssen wir umgehen lernen.

Die Entwicklung der Sorge um sich und der Ästhetik der Existenz sind für Foucault Schlüsselmomente. Mit dieser theoretischen Entwicklung sind seine früheren Ausführungen zu den Praktiken der Macht nicht obsolet geworden oder überwunden. Sie sind weiterhin wirksam. Aber mit dem Fokus auf den Techniken des Selbst und der Sorge um sich unternimmt Foucault eine alternative Akzentuierung dieser Praktiken.

An dieser Stelle wieder zu diesen Fragen zurückzukehren ist angebracht, weil Foucault die Ästhetik der Existenz mit dem antiken Konzept der Klugheit verbindet. Dies ist in zweierlei Hinsicht interessant. Zum einen, weil Foucault sich nicht nur auf Klugheit stützt, um die Sorge um sich als Technik des Selbst auszumachen. Er geht noch einen Schritt weiter und eröffnet über die

---

sichtbar und sagbar gemacht.

170 Vgl. Kapitel 3.1.

Klugheit den Blick auf eine Sorge um andere. Zum anderen zeigt sich in dieser Diskussion die Verbindung zwischen unseren Formen des Urteilens, des klugen Handelns und Entscheidens und unserer Bereitschaft zur sozialen Kooperation. Die Klugheit nimmt hier eine spannende Verbindung mit den Konstellationen unseres Wissens ein, wodurch sich eine weitere Verbindung zu unseren Formen des Wissens und der Konstruktion unserer Wissensansprüche anbietet.

Die Sorge um sich *revisited*

Wie integriert Foucault die Sorge um andere in seine Theorie? Um diese Frage zu beantworten, ist es sinnvoll, zunächst ein Missverständnis auszuräumen. Die Ästhetik der Existenz ist nicht auf eine Ästhetisierung des Subjekts ausgerichtet. Es geht Foucault weniger um ästhetisierende Lebensentwürfe, als darum, mit der Sorge um sich die Entwicklung einer eigenen Haltung auszubilden. Wird die Ästhetik der Existenz als reine Ästhetisierung des Subjekts aufgefasst, drängt sich der Eindruck auf, dass hier nur der private Bereich einer ästhetischen Bildung angesprochen ist. Aspekte der kollektiven politischen Auseinandersetzung verschwinden damit aus dem Bereich des Interesses. Die Gefahr ist groß, dass wir mit einer Ästhetisierung des Subjekts zwar zu empfindsamen und künstlerisch gebildeten Menschen werden. Damit ist aber noch kein Weg gefunden, auf dem wir uns verstärkt in politische Auseinandersetzung begeben.

Ein prominenter Fürsprecher der Ästhetisierung des Subjekts ist Friedrich Schiller in seinen Briefen *Über die ästhetische Erziehung des Menschen*. Allein, an ihm scheiden sich die Geister. Für Jürgen Habermas verfolgt Schiller ein legitimes Projekt, das über die Ästhetisierung der Lebenswelt darum bemüht ist, die in der beginnenden Moderne auseinanderlaufenden Momente wieder in einer Totalität zusammenzuführen. Die Kunst und das Schöne sollen wieder verbinden, was die Moderne entzweit.[171] Aber wie können diese ästhetischen Interventionen zu einer politischen Auseinandersetzung zurückführen? Sie müssen es nicht, aber den Fokus auf die kollektive Ausgestaltung der Politik zu verlieren, auch wenn wir einen subjektiven Umgang mit den Fliehkräften der Moderne gefunden haben, wäre bedauerlich. Im Extremfall sind wir

171 Vgl. Habermas 1988, S. 62–64.

dann ästhetisch gebildete Bürger_innen, die sich nicht mehr am politischen Streit beteiligen. Terry Eagleton kritisiert Schiller daher dahin gehend, dass er in seinen Briefen nur ein „Projekt der fundamentalen ideologischen Rekonstruktion" des Subjekts eröffne.[172] Die ästhetische Bildung wird damit zu einem Projekt des Ausbaus einer bürgerlichen Wohlfühlzone. In politischer Hinsicht wird ein reines Wohlgefühl allerdings kaum genügen, um zu einer Umgestaltung der normativen Ordnung der Gesellschaft zu motivieren. Liefe Foucaults Ästhetik der Existenz auf eine Ästhetisierung des Subjekts hinaus, würde Eagletons Kritik auch Foucault treffen. Aber Foucault verfolgt hier ein anderes Ziel.

In den Vorlesungen aus den Jahren 1983/84 thematisiert Foucault die Sorge um sich anhand der *Apologie* des Sokrates. Sokrates trägt dort unter anderem die Begründung vor, warum er nicht in die Politik gegangen ist. Warum er nicht als Politiker im athenischen Stadtstaat agierte, sondern nur als Privatmann zu seinen Freunden und Bekannten sprach. Dazu formuliert Sokrates die These, dass alle, die sich in die Politik begeben, ihr Leben riskieren, wenn sie die Wahrheit vor der Volksversammlung sprechen.[173] Diese Sorge ist nicht völlig unberechtigt. Schließlich wurde Sokrates wegen seiner die Jugend verderbenden Reden angeklagt und zum Tode verurteilt. Aber worin gründet die von Sokrates geäußerte Zurückhaltung von öffentlichen Diskussionen?

Sokrates begründet seine Haltung mit dem Verweis auf eine dämonische, respektive göttliche Eingebung. Diese Warnung vor der öffentlichen Politik thematisiert Foucault. Bei Sokrates führt er sie auf eine Sorge um sich zurück, in der sich zugleich eine Perspektive auf die Sorge um andere eröffnet:

> „Der Gott hat sich um Sokrates gesorgt und sorgt sich unablässig um ihn, indem er ihm ein Zeichen gibt, dass er dieses oder jenes nicht tun soll. Und als Antwort auf diese Sorge der Götter und des Gottes wird Sokrates sich darum sorgen, herauszufinden, was der Gott gemeint hat. Mit einem Eifer, der charakteristisch für seine Sorge ist, wird er versuchen zu prüfen, was der Gott gesagt hat. Das führt ihn, indem er sich um sich selbst sorgt, zur Sorge um die anderen, aber auf eine solche Weise, dass er ihnen zeigt, dass sie sich ihrerseits um sich selbst,

172 Vgl. Eagleton 1988, S. 329.
173 Vgl. Foucault 2010, S. 106ff. Vgl. dazu auch Flynn 2005, S. 268.

um ihre *phronesis*, die *aletheia* und ihre *psyche* (die Vernunft, die Wahrheit und die Seele) sorgen müssen.«[174]

Die Sorge um andere gründet in dem Moment, wo aus der Sorge um sich der Impuls entsteht, diese Sorge auch in anderen zu befördern. Für Foucault ist diese Sorge um andere nicht direkt politisch motiviert und sie wird von ihm auch nicht als solche angeführt. Die Sorge um andere ist hier eine Form der Innerlichkeit. Hier ist zunächst die eigene philosophische Auseinandersetzung mit dem Selbst entscheidend und nicht der Moment, wo die eigene Rede zur öffentlichen Agitation der eigenen Belange führt.[175]

Foucaults Differenzierung in private und politische Interessen vermittelt den Eindruck, dass beide schlicht zu trennen seien. Die Sorge um andere tritt unpolitisch auf, wenn sie sich wünscht, dass sich auch andere um ihre Sorge um sich kümmern können. Dies lässt sich allerdings nur realisieren, wenn die sozialen Umstände dies erlauben! Damit wird diese Sorge politisch. Sie kann sich erst entfalten, wenn die sozialen und politischen Bedingungen dies zulassen. Wenn wir wollen, dass sich alle um sich selbst sorgen können, dann müssen die politischen Verhältnisse so geordnet sein, dass dies auch für alle möglich ist.

Die Sorge um andere verknüpft sich hier mit einer politischen Komponente, die danach fragt, unter welchen Bedingungen die Sorge um sich überhaupt erst sozial realisiert werden kann. Sie verweist damit auf kooperative Formen der Ausgestaltung der sozialen Praxis und verbindet sich darüber mit konkreten politischen Forderungen. Es eröffnet sich ein Bereich, in dem politische Forderungen formuliert werden müssen, um diese Sorge zu ermöglichen. Hier offenbart sich ein soziales Element, das zu einem Fürsprecher politischer Einmischung wird.

Foucault thematisiert diese politische Seite der Sorge um andere nicht. Ihm geht es zentral um die philosophische Wendung auf das eigene Selbst. Dieses Verhältnis zu sich selbst wird bei Foucault von

---

174 Foucault 2010, S. 125. Hervorhebungen im Original.

175 Foucault unterscheidet hier zusätzlich zwischen zwei Formen der wahren Rede (*parrhesia*). Die philosophische *parrhesia* ist eine philosophische Wendung auf das eigene Selbst, die sich einer öffentlichen Dimension enthält. Die politische *parrhesia* erstreckt sich hingegen auf politische und öffentliche Belange. Für die Apologie geht Foucault davon aus, dass von der philosophischen *parrhesia* die Rede ist, vgl. Foucault 2010, S. 112, 120f.

einem weiteren wichtigen Aspekt bestimmt, der in der Auseinandersetzung mit der Handlungsmacht sozialer Akteure ebenfalls von Bedeutung ist. Dieser Aspekt ist die Klugheit, als praktische und handelnde Vernunft, die beim Treffen von Entscheidungen am Werk ist.[176] Für Foucault ist diese Klugheit, die mit dem griechischen Begriff *phronesis* angesprochen wird, einerseits das Mittel, mit dem wir nach der Wahrheit suchen. Andererseits ist es eine Maßgabe, mit der wir uns an dieser Wahrheit orientieren. Foucault fasst diesen Gedanken wie folgt zusammen:

> „Wenn wir eine *phronesis* haben und gute Entscheidungen treffen können, dann deshalb, weil wir ein bestimmtes Verhältnis zur Wahrheit haben, das ontologisch in der Natur der Seele fundiert ist."[177]

Den Hinweis auf die ontologische Natur der Seele mal außer Acht gelassen, enthält der Verweis auf dieses bestimmte Verhältnis zur Wahrheit den entscheidenden Punkt.[178] In diesem Verhältnis zur Wahrheit, zu den kontingenten Formen der Begründung, zeigt sich, wie wir auf die Welt schauen und mit ihr umgehen. Die inhaltlichen Ausrichtungen dieses Verhältnis zur Wahrheit färben auf unser Selbst und unsere getroffenen Entscheidungen ab. In diesem Verhältnis zur Wahrheit findet die Auseinandersetzung mit unseren Urteilskriterien statt, die wir ausbilden und unserer Entscheidungsfindung zugrunde legen.

Klugheit zeigt sich bei Foucault damit als Kompetenz, um normative Begründungskontexte zu erschließen. Sie hilft uns bei der Situierung innerhalb einer sozialen Praxis, um zu Entscheidungen zu gelangen, wie wir uns in und zu normativen Begründungskontexten verhalten wollen. Klugheit ist darauf ausgerichtet, im Konflikt zwischen individuellen Erfahrungen und kollektiven Normen, als Form der Überlegung zu vermitteln. Es ist die Fähigkeit, die wir benötigen, um uns autonom, selbstbestimmt

176 Vgl. Foucault 2010, S. 119.

177 Foucault, S. 119. Hervorhebung im Original.

178 Vgl. dazu auch Foucaults Aussage zum Verhältnis zur Wahrheit im Interview mit Ducio Trombadori: „Eine Erfahrung ist immer eine Fiktion, etwas Selbst fabriziertes, das es vorher nicht gab und das es dann plötzlich gibt. Darin liegt das schwierige Verhältnis zur Wahrheit, die Weise, in der sie in eine Erfahrung eingeschlossen ist, die mit ihr nicht verbunden ist und sie bis zu einem gewissen Punkt zerstört." Foucault 2005c, S. 57.

und in reflektierter Auseinandersetzung mit den bestehenden normativen Ordnungen zu verhalten.

Foucault ist somit nicht nur der Impulsgeber für einen Zugang zum autonomen Subjekt. Er ist auch ein Mittelsmann für eine Perspektive auf eine politische Ausgestaltung des Gemeinwesens, die bestrebt ist, eine Sorge um sich für alle zu ermöglichen. Nur die Reflexion auf die gemeinsamen Grundlagen der Ausgestaltung des Gemeinwesens kann garantieren, dass alle Menschen eine Sorge um sich ausbilden können. Soziale Kooperation ist hier das Schlüsselmoment, um zu einer alternativen Ausgestaltung der Politik zu gelangen, die sich an einem solchen Ziel orientiert. Zu dieser Orientierung gehört mit Foucault unser Verhältnis zur Wahrheit und die Fähigkeit der Klugheit, der *phronesis*, um kluge und gute Entscheidungen treffen zu können.

Klugheit als Selbstorientierungskompetenz

Die Rede von Klugheit klingt altbacken und die Verwendung altgriechischer Begriffe ist nicht viel knackiger. In seiner Auseinandersetzung mit dem antiken Begriff der *phronesis* und der Fähigkeit der Klugheit kommt Andreas Luckner zu der passenderen Redeweise von der Klugheit als Selbstorientierungskompetenz. Klugheit ist für Luckner damit eine Fähigkeit, mit der wir uns in Bereichen möglicher Erfahrung orientieren.[179]

Ein kluger oder besonnener Umgang mit Normen wurde seit der Antike unter den Begriffen *phronesis*, *prudentia* oder Klugheit thematisiert. Wir benötigen Klugheit, um uns auch ohne festgesetzte Maßstäbe orientieren und entscheiden zu können. Über einschlägige Formen der Klugheit verfügen alle Menschen. Bereits durch unsere Sozialisation sind wir im Umgang mit verschiedenen normativen Ordnungen geschult. Wir stehen immer wieder vor Entscheidungen, die ein kluges Abwägen erfordern, selbst dann, wenn wir nicht alle Konsequenzen einer Entscheidung überblicken. Klug zu sein oder über eine Form der *phronesis* zu verfügen, bedeutet, sich in seinen Entscheidungen und in seiner Handlungsmacht orientieren zu können.

Klugheit ist eine Kompetenz, mit der wir uns innerhalb von widerstreitenden Positionen zurechtfinden. Mit ihr gelangen wir zu Entscheidungen. Alternative Optionen eröffnen sich ebenfalls über

179 Vgl. Luckner 2005, S. 23–27.

die Inanspruchnahme von Werten und Normen, die mit einem moralischen Anspruch auftreten, um Leitlinien des Handelns zu vermitteln. Aber gerade gegenüber der Moral hebt Luckner zwei positive Aspekte hervor, mit denen er vor allem die Klugheit verbunden sieht.

> „Klugheit hat zwei Eigenschaften, welche Moral nicht hat: Sie ist *gradierbar* und sie ist *reflexiv*. Sie ist *gradierbar*, denn es gibt immer mehr oder weniger kluges Handeln, eine Handlung, bzw. Handlungsweise ist immer mehr oder weniger ratsam; jemand ist immer mehr oder weniger klug. (...) Klugheit ist *reflexiv* bzw. selbstbezüglich, denn es ist immer möglich und mitunter auch ratsam; Klugheitsüberlegungen hintanzustellen, wenn elementare Belange gerade des moralischen Lebens in Frage stehen, an denen wir unbedingt festhalten wollen."[180]

Die von Luckner herausgestellten Aspekte der Gradierbarkeit und Reflexivität zeigen gerade dort ihre Stärken, wo allgemeine Normen keine Richtschnur für individuelles und sich situierendes Handeln mehr geben. Die jeweils gradierbare und reflexive Klugheit kann damit umgehen, dass nicht alle von ihr getroffenen Handlungen moralisch gut sind. Die Klugheit ist kein alleiniger Garant dafür, dass Entscheidungen auch in Hinsicht auf ein übergeordnetes Gemeinwohl getroffen werden. Die Klugheit ist auch nicht an sich auf das Wohl der Allgemeinheit ausgerichtet. Es kann auch klug sein, den eigenen Nutzen zu vergrößern und die Hilfsbereitschaft anderer ohne Gegenleistung in Anspruch zu nehmen. Hier steht die schlichte Frage im Raum: Warum soll ich mich an die Regeln halten, wenn die Wahrscheinlichkeit gering ist, von Sanktionen getroffen zu werden?

In der Philosophie wird dies als Problem des Trittbrettfahrens thematisiert.[181] Beim Trittbrettfahren setzen einzelne auf das kooperative Verhalten anderer, ohne dieses eigenhändig mit zu unterstützen. Ein prägnantes Beispiel zum Trittbrettfahren ist die Impfung gegen Masern. Die Erreger der Masern sind hochinfektiös. Wer mit den Erregern in Kontakt kommt, steckt sich sehr wahrscheinlich an, solange er nicht schon mal erkrankt war oder ausreichend geimpft ist. Solange die überwiegende Mehrheit einer Population geimpft ist, können Masern lokal auftreten, sich aber nicht stark ausbreiten. Damit sinkt das eigene Risiko an einer

---

180 Luckner 2005, S. 6. Hervorhebung im Original.
181 Vgl. dazu Rawls 1979, S. 300ff, Nozick 1999, S. 90–95.

Infektion zu erkranken, wenn in einer Population bereits viele Menschen geimpft sind. Impfgegner_innen werden hier zu Trittbrettfahrenden, wenn sie sich oder ihre Kinder nicht impfen lassen und dabei den kollektiven Herdenschutz ausnutzen. Dies kann eine kluge und wohlkalkulierte Entscheidung sein, um mögliche Nebenwirkungen beim eigenen Nachwuchs auszuschließen. Dies macht das Trittbrettfahren bei der Masernimpfung aber auch zu einem moralischen Problem. Denn der Herdenschutz soll diejenigen schützen, die noch nicht geimpft werden können. Dazu gehören Kleinkinder unter einem Jahr, die auf diesen kollektiven Schutz angewiesen sind. Durch das fahrlässige Verhalten einiger steigt für diese Kinder das Infektionsrisiko. Zugleich unterlaufen die Impfgegner_innen damit das erklärte Ziel der Weltgesundheitsorganisation, die Masern auszurotten, was mit einer Impfrate von ca. 95% erreicht wäre.

Trittbrettfahren erscheint als tragfähige Option, wenn Fehltritte nur mit geringen bis gar keinen Sanktionen belegt sind, oder wenn die Gefahr entdeckt zu werden nur gering ist. Entsprechende Beispiele aus dem Alltag finden sich beim Schwarzfahren in der U-Bahn oder in Fällen von Steuerhinterziehung. Einzelne Entscheidungen, die zum Trittbrettfahren führen, können dabei jeweils mit einer entsprechenden klugen Überlegung verbunden sein. Klugheit wird nicht moralisch ausgehebelt, nur weil man sich für eine Form des Trittbrettfahrens entscheidet. Es ist wirtschaftlich klug billige Rohstoffe zu verwenden, die unter Bedingungen produziert werden, die den Konsument_innen verschleiert werden. Es kann profitabel sein, konventionelle Produkte mit einem Biolabel zu versehen. Es kann Spaß machen, mit dem größeren Auto zu fahren. Die ökologischen Folgekosten werden ja von allen und nicht von einzelnen Personen getragen. Auch wird es nicht groß auffallen, ein Essen mit Freunden gegenüber dem Finanzamt als Arbeitsessen zu deklarieren.

Gegen exzessive Formen des Trittbrettfahrens setzt sich die Gesellschaft zur Wehr. Deswegen gibt es Finanzämter, die Steuererklärungen prüfen, um Steuerhinterziehungen aufzuspüren. Deswegen gibt es Fahrkartenkontrollen und weitere Kontrollinstitutionen, die sich der Überprüfung verschiedenster Bereiche des menschlichen Lebens verschrieben haben. Eben weil angenommen werden kann, dass uns Trittbrettfahren überall begegnet.

Die Sorge um ein um sich greifendes Trittbrettfahren ist nicht mein Hauptproblem. Moderne Gesellschaften müssen stark genug sein, um Formen des Trittbrettfahrens zu tolerieren und mittragen zu können. Anders sind freie Gesellschaften gar nicht vorstellbar. Der polemische Vorwurf eines „wenn sich alle so verhalten würden", stützt sich auf einen anklagenden Aspekt, der eine moralische Entrüstung ausdrückt, aber kein starkes Argument transportiert. Wenn sich alle so verhalten, wird die Gesellschaft eine andere Antwort suchen. Vielleicht können wir uns dann nicht mehr so leicht durchmogeln. Das ist auch den Trittbrettfahrenden klar. Dann wird es vielleicht zu einer Impfpflicht kommen. Dann werden technische Lösungen möglicherweise das Schwarzfahren erschweren oder striktere Steuerprüfungen eingeführt.

Die neoliberale Besetzung der Klugheit I

Was brauchen soziale Akteure, um sich nicht gegen die Allgemeinheit zu entscheiden? Helfen hier wirklich nur abschreckende Sanktionen? Die Diskussion um das Trittbrettfahren führt in die Irre, wenn sie nicht als Ausdruck eines tiefer liegenden Wandels der Klugheit angesehen wird. Eines Wandels der Art und Weise, wie wir entscheiden und welche Urteilskriterien wir für unsere Entscheidungen heranziehen.

Das Verständnis der Klugheit als Selbstorientierungskompetenz änderte sich. Sie ist nicht mehr nur das Instrument individueller Orientierung im Dschungel der Möglichkeiten. Sie wurde vielmehr als gezielt steuerbare Kompetenz entdeckt und in eine Selbstoptimierungskompetenz umgewandelt. Diesen Wandel charakterisiere ich als die neoliberale Besetzung der Klugheit. Er vollzog sich über die gezielte Instrumentalisierung und Manipulation unserer möglichen Optionen. Darüber änderte sich auf fundamentale Art und Weise, was Klugheit ist und ausmacht.

Wir sind dadurch nicht plötzlich dumm geworden. Im Alltagsleben bleibt uns Klugheit erhalten. Aber sie wurde als Objekt einer gezielten Optimierung ausgemacht: Wenn die gängigen Erzählungen und die von ihnen aufgemachten normativen Begründungen sich darauf fokussieren, die eigenen Kompetenzen auszuweiten, um sich innerhalb der eigenen Möglichkeiten zu optimieren, dann wird ein wesentliches Element des selbstbestimmten Lebens, die freie Wahl, beschnitten. Sie wird nicht aufgehoben. Aber die zur Wahl stehenden Alternativen werden über die gezielte Reduktion möglicher Bereiche der sozialen Erfahrung manipuliert. Die sozial vermittelten Urteilskriterien werden auf die neoliberale Optimierung des Selbst und der eigenen Position eingestimmt. Dadurch wird die Fähigkeit der Klugheit vereinnahmt und in sozialer Konsequenz pervertiert. Dabei gehen mögliche Formen sozial-kooperativer Tendenzen verloren oder erscheinen plötzlich als weniger erstrebenswert. Neben den diversen Programmen der Selbstoptimierung bleibt nur noch wenig Zeit für ehrenamtliches, soziales oder politisches Engagement.

Um in einer auf Leistung fixierten Gesellschaft bestehen zu können, welche Anerkennung über sozialen Status und die Teilhabe an einem ökonomischen Konsummarkt organisiert, sind wir auf Modifikationen angewiesen, mit denen wir unser Selbst an die sozial vermittelten Bedingungen anpassen. In der Konstruktion unserer Identität werden wir zunehmend von externen Faktoren beeinflusst, die zu einer Anpassung oder Umgestaltung unseres Lebensentwurfs und Selbstbildes beitragen. Allein die Möglichkeit der Optimierung erhöht schon den Druck, dem wir in unserem privaten oder beruflichen Umfeld ausgesetzt sind. Das Selbst wird dabei zunehmend zu einer aktivierbaren Ressource: Wir sollen und wollen nur noch unter Volllast funktionieren.

Angebote der Selbstverwirklichung und der Selbstoptimierung setzen genau dort an, wo Symptome mentaler oder körperlicher Erschöpfung entstehen. Sie werden symptomatisch mit Entspannungstechniken oder mit gezielter medizinischer Leistungssteigerung behandelt. Doping ist damit nicht mehr ein Phänomen des Hochleistungssports, sondern kommt zunehmend im Beruf und in der Freizeit zur Anwendung. Über Weiter- oder Fortbildungen und den gezielten Einsatz von medizinischen Möglichkeiten der Leistungssteigerung werden genau die optimierten Subjekte geformt, die sozial erwünscht sind. Die sozialen Akteure passen sich damit an die veränderten sozialen Urteilskriterien an und richten sich in einer Haltung der Selbstoptimierung ein, welche die negativen Folgen dieser Optimierung ausblendet. Wenn wir scheitern, dann ist es keine Folge sozialer Ungerechtigkeit und ungleich verteilter Chancen mehr, sondern ein persönliches Versagen.

Wo ist das Problem? Ist doch alles ganz normal. Geht doch allen so! Nun, über den Ausbau der eigenen Selbstoptimierungskompetenzen, welche uns mehr Aufgaben aufbürdet, wird weniger nach kollektiven Möglichkeiten der Entlastung gesucht. Unter der Maßgabe, optimal funktionieren zu wollen, lernt das optimierte Subjekt nur noch sich selbst zu optimieren. Auch, um besser mit dem Gefühl permanenter Belastung umgehen zu können. Im Extremfall werden sozial-kooperative Perspektiven dann gar nicht mehr eingenommen oder überhaupt erst in Erwägung gezogen. Gleichzeitig schwinden die kollektiven Formen der Unterstützung, die gerade auch darauf ausgelegt sind, als entlastende Hilfsmittel von Trittbrettfahrenden genutzt zu werden. Wenn Menschen verzweifelt am Rande der Erschöpfung stehen, ist ihnen nicht mehr zuzumuten sich erst aktiv in Prozesse einzubringen, dann sollten sozial-kooperative Formen der Unterstützung bereitstehen. Es gilt diese Perspektiven wieder einzunehmen, um Unterstützungsmöglichkeiten als solche zu erkennen und zu realisieren.

Die neoliberale Umdeutung der Klugheit initiierte einen sozialen Wandel, mit dem sich die Bedingungen änderten, unter denen Klugheit eingesetzt wird. Darin liegt die Krux des Problems. Es gibt keine universell formulierbaren Normen mehr, die eine verbindliche Richtschnur darstellen. Es gibt keine verbindlichen ethischen Perspektiven, die als umfassende Handlungsanleitung einen gemeinsamen Rahmen der Referenz etablieren. Soziale Zugehörigkeiten und Identitäten sind nur noch disparat und unter aktiver Mitarbeit zurückzugewinnen. Das heißt, wir sind in einer modernen Gesellschaft angelangt, in der wir auf Mittel der klugen sozialen Orientierung angewiesen sind. Nur haben wir dieses Mittel der klugen Orientierung aus der Hand gegeben, als wir es zu einer aktivierbaren Kompetenz der eigenen Optimierungen degradierten.

Über die begrenzenden Einschränkungen sozialer Perspektiven, die durch wirksame neoliberale Raster der sozialen Organisation ins Werk gesetzt werden, verlieren wir kooperative Optionen aus den Augen. Neoliberale Ordnungsmuster verdrängen kooperative Handlungsalternativen. Gerade dort, wo die individuelle Umsetzung von Entscheidungen zunehmend an Bedeutung gewinnt, wird der Ausbau der eigenen Kompetenzen mit einem Wandel konfrontiert, der sich nicht mehr auf kollektive oder altruistische Perspektiven richtet, sondern sich auf die eigene Optimierung fokussiert. Damit änderte sich die Form dessen, was Klugheit für Individuen bedeutet. Sie ist nicht mehr das Mittel, um universelle Maximen auf partikulare Entscheidungen anzuwenden, sondern dient jetzt vornehmlich der Optimierung der eigenen sozialen Position.

Klugheit bleibt damit weiterhin die zentrale Fähigkeit unserer Entscheidungsfindung. Aber die Art und Weise, wie Klugheit eingesetzt wird, hat sich geändert. Über die neoliberale Besetzung unserer Urteilskriterien änderte sich ihr Handlungsbereich. Dabei wurde das Mittel der Überlegung als Ganzes umgepolt und auf neoliberale Selbstoptimierung getrimmt. Der optionale Spielraum möglicher Begründungen wandelte sich. In der bloßen Kritik an der neoliberalen Wirtschaftsordnung kommt dieser Aspekt oft zu kurz. Neoliberale Ideen greifen nicht nur in der Wirtschaft. Sie führen nicht nur zu einer alternativen Ausformulierung unseres Wirtschaftssystems. Sie entfalten ihre verheerende Wirkung vielmehr in der gesamten Gesellschaft, wenn sie inhaltlich die Schnittstellen unserer Urteilskriterien und die Mittel unserer Entscheidungsfindung und sozialen Orientierungen besetzen. Darüber gewinnen neoliberale Ideen einen Einfluss auf unser grundlegendes Verhältnis zur Wahrheit. Sie beeinflussen dann einerseits unsere normativen Ordnungen und wirken andererseits auf die Umformulierung unserer Urteilskriterien und die Formierung der von uns geteilten Begründungen und Wissensansprüche ein. Dadurch verschwinden sozial-kooperative Perspektiven und werden durch neoliberal konzipierte Konstellationen ersetzt.

Diese neoliberale Besetzung der Klugheit ist durch zwei wesentliche Aspekte charakterisiert. Dies ist zum einen der Wandel von der Selbstorientierung zur Selbstoptimierung und zum anderen die Reduktion von sozialen Optionen, wodurch sozial-kooperative Tendenzen ausgeblendet werden. Das heißt, ich setze mich eben nicht aus privaten Interessen mit einem neuen Programm, einer neuen Theorie oder Sprache auseinander, sondern um fit zu bleiben, um am Ball zu bleiben. Ich will weiterhin mitreden können und vor allem, will ich nicht zum alten Eisen gehören.

Die Klugheit, die sich als Selbstorientierungskompetenz etablierte, kommt weniger zur Anwendung. Unter der neoliberalen Ausgestaltung der Gesellschaft wird sie in das Korsett einer Selbstoptimierungskompetenz gedrängt, die keine kollektiven Aspekte mehr hervorbringt, respektive gar nicht mehr dazu kommt, diese auszubilden oder wahrzunehmen. Mit der Klugheit wurde somit die wesentliche Kompetenz sozialer Orientierung in Beschlag genommen und zu einer Kompetenz der individuellen

Optimierung umgedeutet. Dies erschwert die Formulierung kooperativer Haltungen und Tendenzen, von denen der kollektive und kooperative Austausch in der Gesellschaft abhängig ist.

Die neoliberale Besetzung der Klugheit gefährdet kooperatives Verhalten. Plakativ, aber eben auch charakteristisch zeigt sich dies am TINA Prinzip.[182] Wer ernsthaft für die These „Es gibt keine Alternative" eintritt, nimmt Individuen die Möglichkeiten Alternativen überhaupt zu sehen. Eine gravierende Folge dieses Prinzips ist der schwindende soziale Einfluss von Gewerkschaften. Gewerkschaften sind kein politischer Störfaktor, sondern ein Multiplikator politischer Bildung. Wenn sie verschwinden und an gesellschaftlichen Rückhalt verlieren, dann verschwindet eine zentrale Instanz politischer Bildungsarbeit, die zum Ausgangspunkt der Formulierung neuer Alternativen werden kann.[183] Dies ist genau der Aspekt, der sich am abnehmenden gesellschaftlichen Einfluss von Gewerkschaften verdeutlicht: Die Gesellschaft verliert dadurch ein wichtiges Korrektiv.

Der abnehmende Einfluss von Gewerkschaften und die schwindenden Mitgliederzahlen politischer Vereine verweisen auf Tendenzen, in denen die Multiplikatoren von kritischen Alternativen verschwinden. Gegenbewegungen, neue Parteien, neue Protestformen, neue politische Themen werden auch weiterhin noch besetzt. Aber ohne kollektive Unterstützung schwindet die Basis, von der aus Vereine oder Gewerkschaften zuvor Einfluss auf die Ausgestaltung der Politik nehmen konnten.

Kooperativ organisierte Bildungsarbeit – sei es durch Gewerkschaften, Stiftungen, Vereine oder Parteien – ist in der Lage soziale Rahmen zu etablieren, die auf die Einrichtung gemeinsamer politischer Rahmen ausgerichtet ist. Diese Bildungsarbeit setzt genau an dem Punkt an, wo in der postfundamentalen Gesellschaft die Muster des sozialen Zusammenhalts nicht mehr in gleicher Weise vorhanden sind. Gerade wenn der einheitliche soziale Rahmen fehlt, wird es wichtig sich in Prozessen der Bildungsarbeit und der politischen Auseinandersetzung darüber auszutauschen, auf welche Sozialbeziehungen wir uns einlassen.

---

182 Das Akronym steht für die englische Aussage „There is no alternative". Dieser Slogan wurde mehrfach von Margaret Thatcher verwendet, um ihre politischen Positionen zu unterstreichen, und sie als alternativlos darzustellen.

183 Vgl. Halimi 2016.

In der Moderne wurde die soziale Bindungsarbeit in das Subjekt verlegt und Stimmung gegen vereinheitlichende Momente des Sozialen gemacht. Aber dies bedeutet nicht, dass kooperative Perspektiven ihre soziale Funktion verloren hätten. Sie sind vielmehr um so mehr auf direkte Partizipation und auf die Entscheidung zur Kooperation angewiesen, um soziale Wirksamkeit zu entfalten. Selbst wenn die poststrukturelle Beliebigkeit moralischer Relativismen in allen sozialen Bereichen durchschlägt, heißt dies nicht, dass wir ihr nicht mit eigenen politischen Positionen entgegentreten können. Wir machen dies, wenn wir soziale Bindungen eingehen, in denen kooperative Formen des sozialen Miteinanders ungesetzt oder gefördert werden.

Soziale Bindungsarbeit wird in der Moderne in das Subjekt verlegt. Es ist nicht mehr Aufgabe kollektiver Strukturen, sich der Individuen anzunehmen, sondern sie bestimmen ihre Zugehörigkeiten nach Möglichkeit selbst. Ich bestimme, wer ich bin und ich entscheide, zu wem oder was ich gehöre. Auch dies ist super, keine Frage. Ich will mir nicht sagen lassen, welchen Vereinen und Parteien ich beitreten sollte. Aber wenn ich gar keine sozialen Strukturen unterstütze, dann schwinden eben die sozialen Bindungskräfte dieser kollektiven Strukturen. Und sei es nur der Tischtennis- oder Kaninchenzuchtverein. Dann verschwinden soziale Bezugspunkte. Sie verlieren ihre vormalige integrierende Kraft, ohne durch sozial bindende oder gestaltende Alternativen ersetzt zu werden.

Diese Beobachtungen knüpfen an die Bemerkungen zu den postpolitischen Konstellationen an. Hier zeigt sich, was passiert, wenn die politischen und sozialen Mechanismen der Produktion von Alternativen begrenzt werden. Einerseits schwindet die Bereitschaft der kritischen Auseinandersetzung. Auch weil das Mobilisierungspotenzial kollektiver gesellschaftlicher Organisationen schwindet. Andererseits werden die vorhandenen Möglichkeiten beschnitten. Es steht nicht mehr die Fähigkeit der klugen Orientierung im Vordergrund, sondern die Optimierung der eigenen Kompetenzen innerhalb eingeschränkter Möglichkeiten. Mit dieser radikalen Umdeutung werden Menschen überwiegend auf die angesprochenen Formen der Selbstoptimierung ausgerichtet. Die Urteilskriterien wurden entsprechend verändert, sodass alternative Erfahrungen erst gar nicht mehr gemacht werden. Dies klingt irritierend. Warum sollten wir mit einem entsprechend ausgeprägten Verständnis von Selbstoptimierung nicht in der Lage sein, alternative Erfahrungen zu machen? Weil keine entsprechenden Urteilskriterien mehr vorhanden sind, die zur Anwendung gebracht werden könnten. Mit diesen neoliberalen Urteilskriterien verschwinden die Beweggründe für sozial-kooperatives Verhalten. Dies ist die Lektion, die mit Dubet deutlich herausgearbeitet werden kann. Sind die Urteilskriterien bereits von vornherein darauf ausgerichtet nur das eigene Optimum zu erreichen, sind die Möglichkeiten sozialer Erfahrung dadurch von vornherein eingeschränkt. Auf Selbstoptimierung ausgerichtete Haltungen versperren dann die Sicht auf gemeinsame Perspektiven. Wird nur nach der Maßgabe der eigenen Optimierung geurteilt, entsteht eine Orientierung, die zuerst nach dem eigenen Vorteil fragt und kooperative Perspektiven ausblendet oder eben gar nicht mehr wahrnehmen kann. Wer auf Trittbrettfahren getrimmt ist, blendet Alternativen aus, oder kann Alternativen nicht mehr realisieren.

Wie weiter mit der neoliberalen Besetzung der Klugheit?

Bisher lag ein Schwerpunkt der Untersuchung darauf, den politischen Umgang mit divergenten Formen des Begründens zu thematisieren. Im Idealfall erkennen wir die Kontingenz unserer eigenen Perspektiven und begreifen sie als unabgeschlossen. Damit würden wir weniger der Versuchung anheimfallen, sie als Setzung für die gesamte Gesellschaft zu postulieren. Es wäre klar, dass unsere Begründungen anschlussfähig sein sollten und nur jeweils lokal situierte Perspektiven darstellen. Mit der Vereinnahmung der Klugheit hat sich allerdings gezeigt, dass neoliberale Perspektiven bereits bis zur Manipulation unserer Urteilskriterien durchgedrungen sind. Die Hoffnung, die sich dem entgegenstellen lässt, ist die Position, dass wir über die Kultivierung kooperativer Formen der Teilhabe, alternative Bereiche der sozialen Erfahrung eröffnen. Dann sind wir nicht mehr auf Selbstoptimierung getrimmt, sondern fragen nach Wegen der Kooperation, wodurch wir uns gegenseitig entlasten und kollektiv weiterentwickeln können.

Um hier nochmals die Terminologie von Eagleton aufzugreifen, kann gut gesagt werden, dass die neoliberale Besetzung der Klugheit auf einer fundamentalen ideologischen Rekonstruktion beruht.[184] Mit der entschiedenen Folge, dass es für die nach Selbstoptimierung strebenden Menschen absolut normal und selbstverständlich ist, ihre Position zu optimieren und sich als Trittbrettfahrende nur auf ihren Nutzen zu fokussieren. Dies ist Bestandteil ihrer sozialen Realität, wie sie von der dominierenden neoliberalen Ideologie geprägt wird. Dies führt zu einer weiteren Steigerung. Die Wege der Selbstoptimierung sind für sich gesehen nicht schlimm. Wer sich entwickeln mag, soll dies tun. Aber der unbedingte Wille zur Optimierung individueller Bedürfnisse, Wünsche oder Ziele verdrängt kooperative Perspektiven. Diese brauchen wir allerdings – ich neige hier zu Wiederholungen – um sichere Sozialbeziehungen zu entwickeln.

Wie konnte sich dieser umfassende Wandel vollziehen? Dies ist ein Wandel, der sich nicht nur auf einer Ebene vollzogen haben kann. Es ist nicht nur unsere Arbeitswelt, unsere Erziehung, unsere Politik betroffen, sondern dieser Wandel hat sich in allen gesellschaftlichen Teilbereichen vollzogen, oder zumindest breitgemacht. Andernfalls wäre seine breite Tiefenwirkung unerklärlich.

Die neoliberale Besetzung der Klugheit drängt in alle Bereiche der sozialen Praxis hinein. Das gesamte kulturelle, ökonomische und soziale Leben ist davon betroffen. Dazu gehört für die meisten zunächst mal die Arbeitswelt, aber auch die Fragen der individuellen Lebensgestaltung. Wie wollen wir leben, konsumieren oder lieben. In der zunehmenden Tendenz der Selbstoptimierung wird die fundamentale ideologische Rekonstruktion unserer sozialen Praxis erkennbar. Der Stellenwert dieser ideologischen Rekonstruktion ist spannend, denn hier operieren Ideologien in organisierender Weise um uns herum, um den Blick auf die soziale Realität zu ermöglichen. Žižeks psychoanalytisch geprägte Auffassung von Ideologie gibt dazu den entscheidenden Hinweis:

> „Ideologie ist keine traumartige Illusion, die wir bauen, um der unerträglichen Realität zu entkommen; in ihrer Grunddimension ist sie eine Fantasie-Konstruktion, die als Unterstützung für unsere ‚Realität' selbst dient: eine ‚Illusion', die unsere effektiven, realen sozialen Beziehungen strukturiert und

184 Vgl. Eagleton 1988, S. 329. Wie die ideologische Rekonstruktion des Neoliberalismus über die Besetzung von Schnittstellen der intellektuellen Produktion von Wissensansprüchen initiiert und umgesetzt wurde zeigt Walpen 2004. Vgl. dazu auch Foucault 2008, S. 129ff.

> dadurch einen unüberbrückbaren, realen, unmöglichen Kern maskiert. (…) Die Funktion der Ideologie besteht nicht darin, uns einen Fluchtweg von unserer Realität zu bieten, sondern uns die soziale Realität selbst als Flucht vor einem traumatischen, realen Kern anzubieten."[185]

Mit Žižek wird Ideologie als Konstruktion eines Auswegs fassbar, um einer unerträglichen traumatischen Erfahrung zu entkommen. Ideologien konstruieren Raster der fundamentalen Orientierung, auf welche wir als denkende, handelnde und fühlende Lebewesen angewiesen sind. Wir sind in der Lage inferenzielle Muster der Begründung zu konstruieren, die dann als Ideologie, Kultur, Norm, etc. wirksam werden. Die oftmals geforderte reflexive Haltung gegenüber diesen ideologischen Mustern der Orientierung verweist darauf, dass wir beim Erkennen auf Formen der ideologischen Rekonstruktion angewiesen sind. Dies kann die katholische Heilslehre sein, die wissenschaftliche Welt der Kernphysik, die psychoanalytisch geprägte Theorie Žižeks, ein strikter Kantianismus, der sich hier in der Unterscheidung von dem Ding an sich und unserer Erkenntnis wieder findet, oder eine andere Theorie. Am ehesten wird es eine ideologische Rekombination verschiedenster Elemente sein. Bestenfalls sind wir in der Lage verschiedene Auffassungen zu kombinieren und entsprechend anzuwenden. Trifft dies zu, sind wir gewappnet, um die alltäglichen kognitiven Dissonanzen moderner Gesellschaften zu ertragen.[186]

Die neoliberale Besetzung der Klugheit funktioniert somit über eine fundamentale ideologische Rekonstruktion dessen, was wir als kluges Handeln betrachten. Aber wo können hier unsererseits ideologische Rekonstruktionen ansetzten, die sich bekannter Elemente der sozialen Kooperation annehmen, um sie in neue Modelle sozialer Kooperation zu transformieren? Wenn wir innerhalb des bisherigen Theoriedesigns bleiben, dann ist klar, dass dies über ein geändertes Verhältnis zur Wahrheit, veränderte Urteilskriterien und über andere Formen des Begründens zu erreichen ist.

---

185 Žižek 2008, S. 45.

186 Zwei Dinge sind hier festzuhalten. Zum einen gilt weiterhin Schumpeters Devise, unerschrocken für die eigenen Positionen einzustehen. Aber eben nicht stur, sondern in Auseinandersetzung mit anderen Begründungen. Zum anderen muss gegenüber konservativen Kreisen der Vorteil kooperativer Zusammenarbeit nicht erst hervorgehoben werden. So funktionieren letztlich Seilschaften, Bünde, Parteien, die über soziale Kooperation den Vorteil der eigenen Gruppe fördern.

Unsere normativen Urteilskriterien müssen so umgestaltet werden, dass Kooperation wieder ein Teil unserer sozialen Praxis wird. Das heißt nicht, dass wir nicht weiter unsere Interessen und Kompetenzen verfolgen sollen, sondern dass wir auch die Interessen anderer zulassen und sie nach Möglichkeit unterstützen. Dies erfordert Offenheit gegenüber den situierten Praktiken anderer. Caesar Rendueles macht dazu auf einen weiteren wichtigen Punkt aufmerksam:

> „Radikale Demokratie ist keine universelle Kundendienstleistung. Sie hat, wenn man genauer darüber nachdenkt, etwas Verrücktes. Sie impliziert, dass der Idiot im Porsche Cayenne, die Tussi, die in einem Park voller Kinder ihren Pitbull von der Leine lässt, oder der Proll aus der Shopping Mall das gleiche Mitgestaltungsrecht haben wie man selbst."[187]

Um mit den angeführten Problemen umzugehen, brauchen wir Strategien, mit denen wir wieder zu einer sozial-kooperativen Praxis gelangen. In meinen Augen muss dies nicht auf eine vollständige oder umfassende Kooperation hinauslaufen. Wir sollten uns darüber im Klaren sein, dass nicht alle mitmachen werden. Rendueles hat uns soeben darauf hingewiesen, dass auch viele Menschen dabei sind, mit denen wir tendenziell weniger zu tun haben möchten. Die gekaperte Klugheit verweist zudem darauf, dass uns soziales Trittbrettfahren begegnen wird. Aber ein wesentlicher Teil demokratischer politischer Teilhabe besteht darin, dass wir uns aus freien Stücken zusammentun können, um politische Mehrheiten und soziale Verhältnisse zu ändern.

In der sozialen Praxis sind daher Wege zu etablieren, auf denen wir zu einer sozialen Praxis finden, die sich auf kooperative Orientierungen fokussieren. Damit stellt sich die Frage, wie unsere soziale Praxis so zu gestalten ist, dass kooperative Tendenzen stärker zunehmen. Dies geht nur, wenn direkt, diejenigen angesprochen werden, die hier mitentscheidend sind. Für mich sind dies die sozialen Akteure als Teilnehmende der sozialen Praxis.

5.2 Kooperation unter postpolitischen Konstellationen

An dieser Stelle ist es verlockend ein Loblied auf politisch aktiven Bürger_innen anzustimmen, um dieses Buch mit einem optimistischen Ausblick auf zivilgesellschaftliches Engagement zu

---

187 Rendueles 2015, S. 46–47.

beenden. Nichts anderes werde ich tun. Allerdings mit zwei wesentlichen Einschränkungen. Zum einen werde ich mich auf das kooperative Selbstverständnis fokussieren, als den wesentlichen Aspekt bürgerschaftlichen Engagements. Zum anderen sollte der optimistische Ausblick in einem Buch, das Autonomie thematisiert, nicht nach einer strikten Handlungsanweisung klingen. Ich verweise daher abschließend auf Herausforderungen, mit denen sich dieses kooperative Selbstverständnis auseinandersetzen sollte.

Die Rede von Bürger_innen als Ausweg?

Unter postpolitischen Konstellationen gibt es keine dominierenden und zentralen Orte der politischen Aushandlung mehr. Ohne Frage, es gibt weiterhin demokratische Strukturen und parlamentarische Debatten. Aber über die Veränderungen der globalisierten Welt bildeten sich neue Formen der politischen Aushandlung heraus, angepasst an moderne Gesellschaften und supranationale Herausforderungen. Daher ist bereits von dieser Warte aus fraglich, ob die Charakterisierung sozialer Akteure als Bürger_innen noch genügt.[188] Zum einen gibt es viele soziale Akteure, die keine Bürger_innen sind: Vereine, Verbände, von lokalen Strukturen bis zu internationalen Lobbygruppen. Sie alle agieren kooperativ und vertreten eigenständig ihre Interessen.[189] Von dieser Seite aus betrachtet greift die Deklaration als politisches Subjekt bereits zu kurz. Zum anderen sind die geläufigen Vorstellungen von Bürger_innen mit starken normativen Konnotationen versehen. Eines der Grundprobleme ist hier, dass dieser Begriff seit jeher ein exklusiver Begriff ist. Er diente zu unterschiedlichen Zeiten jeweils zur Identifizierung einer bestimmten Gruppe von Personen, die über lokale Stadt- oder

---

188 Man kann sich auch fragen, ob eben *nicht* vom Weltbürgertum gesprochen werden sollte, ob es überhaupt sinnvoll ist, diesen Begriff auf den Kosmos auszudehnen. Ob er eben nicht ein Begriff und Konzept ist, das auf nationale oder eben lokale Aspekte zu begrenzen ist. Das kann gut so sein, aber das bedeutet nicht, dass internationale oder andere Strukturen ohne Formen und Möglichkeiten direkter Beteiligung auskommen sollten. Dies bedeutet eher, dass wir basisdemokratische Strukturen auf diesen Ebenen etablieren sollten, die alle als politische Subjekte ernst nehmen und allen die Möglichkeiten der Beteiligung eröffnet.

189 Bei Rendueles findet sich die prägnante Schätzung von 800 Millionen Menschen, die weltweit in Genossenschaften organisiert sind, vgl. Rendueles 2015, S. 38.

Staatsrechte einen besonderen Anspruch an der Beteiligung von politischen Auseinandersetzungen erworben hatten. Bürgerrechte waren und sind immer auch privilegierte Ausschlussrechte. Zu den Ausgeschlossenen gehören seit der Antike überwiegend sozial ausgegrenzte Personengruppen wie Sklaven, Frauen oder Ausländer_innen.

Eine alternative Konstellation versucht diesem Manko des Bürgers zu begegnen, respektive diesen Begriff mit einer starken normativen Aufwertung zu versehen. Sie fokussiert sich dazu auf die Art und Weise der politischen Aktivität von Bürger_innen. Dazu lässt sich zwischen einem liberalen Modell bürgerschaftlichen Engagements und seinem republikanisch geprägten Gegenpart unterscheiden. Benjamin Constant arbeitete diese Unterscheidung an der Metapher der Unterscheidung der Alten und der Modernen auf, um zwei konkurrierende Modelle bürgerlicher Freiheiten zu unterscheiden.[190]

Die Freiheit der Alten steht für die republikanische Tradition, wie sie sich in der römischen Republik findet. Dort sieht Constant verantwortungsvolle Staatsbürger, die sich dem Gemeinwesen gegenüber verpflichtet fühlen. Diese Verpflichtung ist geprägt durch Formen direkter demokratischer Partizipation, wie sie in öffentlichen Debatten und direkten Wahlen in der Volksversammlung ausgelebt wurden. Die Freiheit der Modernen steht für liberale Bürgerrechte, die Einzelne vor staatlichen Übergriffen schützen. Hier wurde die direkte Partizipation aufgegeben und durch die Wahl von Repräsentanten und die Delegation politischer Entscheidungen an die Parlamente ersetzt. Diese liberale Tradition sieht in Bürger_innen Staatsbürger_innen, mit garantierten Rechten und Pflichten, aber ohne starke Formen der Beteiligung an der politischen Auseinandersetzung.

Im liberalen Modell bürgerlicher Freiheiten bleibt demzufolge unklar, wie ein aktiver Bürgersinn entstehen kann. Eine der entscheidenden Fragen ist hier, wie passive Bürger_innen, die sich nur über Wege der Repräsentation in die Politik einbringen, zu einem aktiven Teil der Ausgestaltung der Politik werden. Daneben steht ein republikanisches Modell des Bürgers, bei welchem gerade ein aktives Engagement mit einer starken Nähe zum Gemeinwesen zum Ausdruck kommt. Das republikanische Modell stellt die Aufrechterhaltung des Gemeinwesens verstärkt als Aufgabe heraus.

190 Vgl. dazu und im Folgenden Constant 1972, Bd. 4, S. 363-396.

Aber hier lassen sich das Fehlen inkludierender Formen und ein verstärkter Hang zu elitären politischen Strukturen ausmachen. Diesem republikanischen Verständnis ist somit ebenfalls mit Skepsis zu begegnen, denn es ist oft nur ein kleiner Teil der Bevölkerung, der sich diese umfängliche Form des politischen Engagements leisten kann.[191]

Mit Roland Barthes kann an dieser Stelle gut darauf verwiesen werden, dass mit dem Verständnis des Bürgers mehr verbunden ist. Für Barthes ist die moderne Gesellschaft in dreierlei Hinsicht bestimmt, durch ein Regime des Eigentums, eine bestimmte politische Ordnung und eine bestimmte Ideologie.[192] Barthes redet in diesem Kontext von der Bourgeoisie und dem Bourgeois, was auf eine dritte Unterscheidung im Begriff des Bürgers hinweist: die Trennung zwischen Bourgeois und Citoyen. Der Bourgeois tritt für seine partikularen ökonomischen Interessen ein, wohingegen der Citoyen sich der Allgemeinheit gegenüber verpflichtet fühlt. Letztlich spiegelt diese Unterscheidung die Differenz von liberalen und republikanischen Freiheitsrechten wider. Allerdings wurde der Bourgeois im 19. Jahrhundert zu einer Zielfigur der Kritik. Ihm wurde nicht mehr der Citoyen, sondern der Proletarier gegenübergestellt, von dem jetzt die soziale Veränderung ausgehen sollte. Seitdem schwingt in der linken Kritik am Begriff des Bürgers die Gegenüberstellung von Bourgeois und Proletarier mit. Sie zielt auf die ökonomische Situation und soziale Stellung des Individuums in der Gesellschaft und nicht mehr auf die Einstellungen und Haltungen gegenüber der sozialen Ordnung.[193]

Kritik an den sogenannten bürgerlichen Verhältnissen ist in Einzelfällen nachvollziehbar. Aber die Vehemenz, mit der gegen bürgerliche Tendenzen oder Subjekte argumentiert wird, ist zu

---

191 Silke van Dyk thematisiert diesen Punkt in einem Interview über die Ausgestaltung der Postwachstumsgesellschaft. Unabhängig davon, ob sich jemand in ehrenamtlichen Kooperativen einbringen möchte, oder auf ehrenamtliche Strukturen wie Repair-Cafes oder Urban-Gardening Initiativen zurückgreifen möchte, geht es auch um die Frage, ob das eigene Arbeitsleben den Rückgriff auf diese Freiräume überhaupt zulässt. Vgl. Weyrosta 2017.

192 Vgl. Barthes 2010, S. 289.

193 Diese Differenzierung hat sich zwischen Hegel und Marx vollzogen. Hegel sieht im Bürger noch Ansprechpartner_innen, die sich über eine sittliche Einstellung identifizieren. Marx nimmt die Ökonomie als spezifische Differenz und vernachlässigt darüber alternative Handlungsaspekte. Vgl. Hegel 2003, S. 348, Marx und Engels 1977, S. 462–474.

unpräzise. Die Unterscheidung zwischen Citoyen und Bourgeois könnte mancher Kritik zu mehr Präzision verhelfen. Letztlich sind beide Aspekte in der Figur des Bürgers enthalten. Es fehlt nur die schärfere Trennung zwischen den Aspekten, die auf das Besondere der eigenen Situation oder auf die Interessen der Allgemeinheit abheben.

Diese drei Unterscheidungen erschweren die Entwicklung einer verbindlichen und inklusiven Position zum Begriff des Bürgers. Erschwerend kommt hinzu, was im vorherigen Kapitel mit der Besetzung der neoliberalen Klugheit angesprochen wurde. Heute kann es klug sein, im Interesse neoliberaler Positionen, an der Ausgestaltung des politischen Willens teilzunehmen. Nur wird dann im Sinne von neoliberalen Interessen agiert, ohne Rücksicht auf sozial-kooperative Tendenzen zu nehmen.

Kooperative Identität: *The Wire*

Sollten wir anstelle einer Definition nicht eher versuchen direkt zu bestimmen, was Bürger_innen ausmacht? Einen Zugang zu einer Antwort finden wir in der Fernsehserie *The Wire*, die am Beispiel der Großstadt Baltimore verschiedene Aspekte des sozialen Zusammenlebens beleuchtet. Es geht um Kriminalität, Drogenbanden und die Polizei, die versucht, gegen die um sich greifende Kriminalität vorzugehen. Gleich zu Beginn sind wir in einem Gerichtssaal, wo ein Augenzeuge vor Gericht in einem Mordprozess aussagt. Er hätte wie andere Zeugen auch schweigen können, macht dies aber nicht. Später wird seine Leiche gefunden. In der Redeweise über dieses Verbrechen stellen die Polizisten seine Rolle als Bürger heraus.[194] Es traf einen ehrlichen, arbeitenden Bürger, einen Familienvater, der nur seiner Arbeit nachging.

In *The Wire* nehmen Bürger_innen eine Sonderstellung außerhalb der erzählerischen Rahmenhandlung ein.[195] Sie tauchen oftmals nur am Rande auf und sind nur die Leidtragenden. Sie sind diejenigen, die davor bewahrt werden Opfer von Kriminalität zu werden. Sie bilden die Menge der Menschen, die jeden Tag arbeiten gehen und sie sind diejenigen, die das Gemeinwesen aufrechterhalten. Diese Umsetzung ist meiner Ansicht nach bezeichnend für das Thema des Bürgers. Bei dem hier angelegten Verständnis

194 Vgl. *The Wire*, Staffel 1, Episode 2. Das Mordopfer war ein unbeteiligter Zeuge und nicht in den Drogenhandel involviert.

195 Vgl. dazu auch Lister 2015.

geht es nicht darum, Bürger_innen als politische Subjekte zu beschreiben, sondern darum ihre politische Aktivität und ihren Beitrag zur Aufrechterhaltung des Gemeinwesens zu erfassen. Die einfache Partizipation an der Gesellschaft ist bereits Teil ihrer kooperativen Identität. Zu diesem weit gefassten Selbstverständnis kooperativer Identität gehören weitere Kernbestandteile, die sich als aktivierbare Ressourcen ausmachen lassen. Dazu zähle ich auf soziale Kooperation ausgerichtete Haltungen und Aktivitäten, die über die reine Verfolgung von privaten Interessen hinausgehen. Des Weiteren gehören inkludierende Komponenten dazu, die sich über eine kooperative Identität entfalten und dem Gedanken einer elitären Auffassung von Politik entgegenwirken.

Von Bürger_innen zu sprechen macht vor allem unter der Prämisse Sinn, in der sozialen Praxis Ansprechpartner_innen der Ausgestaltung von Politik zu finden. Menschen, die sich um die Aufrechterhaltung des Gemeinwesens und um die Etablierung inkludierender Prozesse kümmern. Dazu ist es gleich, ob man wählen kann oder nicht, welche Hautfarbe oder welchen sozialen Hintergrund eine Person hat. Zugänge zu einer kooperativen Praxis erschließen sich für alle Menschen. Sozial-kooperatives Verhalten kann von allen in unterschiedlichen Formen praktiziert werden. Ohne erst den Maßgaben einer politisch überfrachteten Praxis folgen zu müssen.

Unsere kooperative Identität geht über direkte soziale Bindungen hinaus. Sie ist weder an einen bestimmten Lebensstil noch an soziale oder ökonomische Hintergründe gebunden. Sie speist sich aus den individuellen Haltungen und Einstellungen zum kooperativen Handeln. In diesem Sinne kann die kooperative Identität des Bürgers zu einer aktivierbaren Ressource und Teil eines kooperativen Selbstverständnisses werden. Hier bietet sich immer eine grundsätzliche Pluralität möglicher Handlungen an: von aktiver Beteiligung bis hin zum desinteressierten Verhalten im Diskurs. Alles kann bereits zur sozialen Reproduktion des Gemeinwesens beitragen. Auch der gebackene Kuchen für das Straßenfest. Der besonders!

Widerstände kooperativer Handlungsmacht

Das hier vorgeschlagene Verständnis einer kooperativen Identität, die als Ressource für kooperatives Handeln angesprochen werden kann, ist mit Problemen konfrontiert. Probleme entstehen vor allem dann, wenn wir die kooperative Identität als aktivierbare Ressource verlieren. Sie ist die soziale Ressource, mit der wir soziale Räume erstellen. Räume, in denen wir auch abseits politisch etablierter Strukturen, über die normative Ausgestaltung der Politik streiten können. Ohne diese sozialen Räume nehmen gesellschaftliche Bindungskräfte ab. Zugleich wird es schwieriger die zunehmende Bindungslosigkeit politischer Subjekte aufzufangen. Dann wird die Gesellschaft als fragmentiert erlebt und die Bereiche einer als sicher empfundenen Kollektivität schwinden.

Drei dieser Probleme werde ich kurz besprechen, ehe ich abschließend weitere Herausforderungen kooperativer Handlungsmacht anführe. Zu diesen drei Problemen rechne ich die bereits angeführte neoliberale Besetzung der Klugheit. Dazu zähle ich des Weiteren die Beobachtung, dass das moderne globale Wirtschaftssystem nur noch bedingt auf funktionierende Formen demokratischer Beteiligung angewiesen ist. Und letztlich kommt die offene Frage nach den Grundzügen eines neuen politischen Projektes hinzu.

Die neoliberale Besetzung der Klugheit II

In den neoliberalen Tendenzen der Selbstoptimierung – im Sinne einer Adaption an die bestehenden ökonomischen und sozialen Verhältnisse – zeigt sich die verquere Logik einer gesellschaftlichen Organisation, die kooperatives Verhalten gefährdet, indem es die Ressourcen pervertiert, die zu einer positiven Entwicklung und mehr sozialer Kooperation führen. Unsere Klugheit wandelte sich zu einer neoliberalen Kompetenz der Selbstoptimierung, die individuelle Ausnutzung fördert und kooperative Perspektiven verdrängt.

Ist unser Verhältnis zur Wahrheit, sind unsere kollektiven Wissensansprüche von neoliberalen Positionen durchtränkt, dann zeigt sich dies in unseren Entscheidungen. Dann werden egoistische Positionierungen präferiert und als einzig mögliche Haltung dargestellt, wobei die Ausrichtung eigentlich offen war. Die neoliberale Besetzung der Klugheit basiert letztlich darauf, dass die eigene Fähigkeit zu klugem Handeln in den Dienst externer Anforderungen gestellt wird, die nicht mehr hinterfragt werden. Dies ist die Gefahr, die in der Umdeutung der Klugheit liegt. Dann wird die Auseinandersetzung mit unseren Urteilskriterien in einen ideologischen Rahmen gepresst, dem Offenheit und sozial-kooperative Initiativen verloren gehen. Wesentliche Muster der Orientierung werden dann vorgegeben, zu denen wir uns nur noch bedingt kritisch in der Reflexion auf das eigene Selbst, die eigenen Urteilskriterien und die eigenen Formen des Begründens verhalten.

Der auf Selbstoptimierung getrimmten Klugheit werden nicht die reflexiven intellektuellen Fähigkeiten genommen. Aber als eine Folge individueller Selbstbegrenzung wird die Spannbreite möglicher kollektiver und kooperativer Perspektiven reduziert, wodurch kooperatives Verhalten langfristig abnimmt. Mit der Realisierung von kooperativen Perspektiven kann dieser wirkmächtigen Umdeutung entgegengetreten werden. Daher ist es wichtig kooperative Identitäten zu fördern, als Motor kollektivbindender Strukturen und sozial-kooperativer Tendenzen. Im Prinzip ist es dann gleich, wie man sich konkret verhält, solange auch Perspektiven eingenommen werden, die sich auf die Förderung sozialer Teilhabe und kooperativer Handlungsmacht richten.

Die bindungslosen postmodernen Subjekte haben es aber auch nicht einfach. Wenn die gesamte Gesellschaft auf Individualisierung gepolt ist, haben kooperative Perspektiven einen schwächeren Stand. An dieser Stelle ist es angeraten, einen ketzerischen Gedanken auszusprechen, der schon bei Luhmann angedacht wird:

> „Die heutige Gesellschaft hat (...) nur Themen zu bieten wie »Identität«, »Emanzipation«, »Selbstverwirklichung«, die einen Abbau gesellschaftlicher Schranken fordern, aber offen lassen, wie das Individuum, das den Leerraum nutzt, den die Gesellschaft ihm lässt, ein sinnvolles, den öffentlich proklamierten Ansprüchen genügendes Verhältnis zu sich selbst finden kann.“[196]

Es ist nicht schwer von den hier angeführten Themen wie Identität, Emanzipation oder Selbstverwirklichung zu einem Abbau gesellschaftlich bindender Strukturen zu gelangen und darin zugleich eine Stärkung neoliberaler Positionen zu sehen. Hier fehlt die positive Positionierung gegenüber einem kooperativen Projekt. Die Realisierung von neoliberalen Optionen ist einfacher und klüger.

In der initialen Forderung nach Autonomie oder Emanzipation begründet sich ein starkes Moment der Befreiung. Sie forciert

196 Luhmann 1997, S. 805.

allerdings eine Inhaltsleere, mit der ein Umgang gefunden werden muss. Es ist nicht hilfreich liberale Positionen zu postulieren und dann davon auszugehen, dass autonome Individuen direkt für sich allein sorgen können. Das wäre der neoliberale Traum einer Ayn Rand. Es gilt sich vielmehr vor Augen zu halten, dass die neoliberale Ideologie wunderbar mit dem nach Autonomie und Emanzipation strebenden Subjekten zusammengeht. Neoliberalismus wird dann zur Kehrseite autonomer und emanzipativer Bewegungen, die es auf Dauer nicht geschafft haben sozial verbindliche Positionen und sozial-kooperative Prozesse zu etablieren.

Sagte da wer Demokratieexport?

Eine weitere Entwicklung kommt verschärfend hinzu. Über Jahre hinweg gab es eine politikwissenschaftliche Diskussion, die für eine positive Korrelation zwischen der wirtschaftlichen und demokratischen Entwicklung eines Landes plädierte.[197] Die wirtschaftliche Entwicklung wird dabei als Garant für eine stabile demokratische Entwicklung angesehen. Diese Korrelation wird mittlerweile allerdings durch gegenläufige Tendenzen unterlaufen, in denen deutlich wird, dass die wirtschaftliche Entwicklung nicht direkt zu mehr demokratischen Formen der Beteiligung führt. Die globale Wirtschaft braucht keine demokratischen Strukturen, um Profite zu erwirtschaften.

Die Wirtschaft ist auf stabile und funktionierende Formen der Kooperation angewiesen. Demokratische Strukturen und Formen der politischen Teilhabe erleichtern dies, sind aber keine Bedingung. Darauf machte Huntington bereits 1975 in seiner Studie zur *Krise der Demokratie* aufmerksam. Demokratie ist nur eine Art und Weise, um Autorität zu begründen. Es sei daher besonders darauf zu achten, dass das politische System nicht mit Forderungen überladen werde, welche seine Funktionen und Autorität unterminieren.[198] Für ein Funktionieren ist die globale Wirtschaft nicht auf demokratische Legitimation angewiesen. Sie kann daher viel unproblematischer mit nicht demokratischen Regierungsformen operieren. Die Installation nicht demokratischer

---

197 Beginnend mit Lipset 1959, S. 75–85. Mittlerweile gibt es verschiedene Standards, mit denen die wirtschaftliche und demokratische Entwicklung von Ländern miteinander verglichen werden kann, z. Bsp. der seit 1973 erscheinende *Freedom House* Bericht zur Lage der Freiheit in der Welt.

198 Vgl. Crozier et al. 1975, S. 113–114.

Regime oder autokratischer Herrschaftsstrukturen sind keine Hindernisse für florierende Wirtschaftsbeziehungen.

Die moderne globale Weltwirtschaft entwickelt sich damit mittlerweile in eine Richtung, die auch ohne ausgebildete Demokratien funktioniert.[199] Länder, die eindeutig nicht in das liberale Modell der Demokratie fallen, brauchen diese politische Form nicht, um entwicklungspolitische Fortschritte zu erzielen. Die liberale Demokratie ist keine notwendige Bedingung für wirtschaftliche und soziale Entwicklungen mehr. Die Krux der neoliberalen Wirtschaftsordnung ist schlicht und ergreifend, dass sie mit liberalen Verhältnissen, individualisierten Massen und dem Ideal der Freiheit problemlos zurechtkommt. Denn so gibt es niemanden mehr, der sich ihr organisiert in den Weg stellt und nach neuen kollektiven Alternativen sucht.

Was tun?

Die schlichte Erzählung des Bürgers genügt nicht mehr, um die disparaten Elemente des Politischen zusammenzuhalten. Zugleich gibt es starken innergesellschaftlichen Dissens, der nicht mehr zu der Narration des Bürgers passt. Für mich heißt dies, dass die kooperative Identität mit einer neuen Deklaration zu versehen ist, um eine umfassende Belebung sozial-kooperativer Prozesse zu initiieren.

Soziale und ökonomische Ungleichheiten treiben die Gesellschaft auseinander. Die größte Gefahr, die sich unter postpolitischen Konstellationen andeutet, ist die Aufkündigung des gesellschaftlichen Grundkonsenses. Wir haben keine Garantie, dass wir auf Dauer in demokratischen Strukturen leben werden. Auch deswegen kam es seit Beginn der Aufklärung zu politischen Umwälzungen, welche die sozialen Fliehkräfte jeweils in neue Bahnen lenkten. Sehr zum Missfallen der jeweils Privilegierten. Fraglich ist, ob die ohnehin geschwächten kollektiven Bindungskräfte der Gesellschaft noch lange halten werden, wenn sie sich nicht ändern. Unter diesen Bedingungen ist es fraglich, ob die alleinige Deklaration einer kooperativen Identität hier noch genügt.

Das Streben selbstbestimmter Individuen ist eine der Grundvoraussetzungen moderner Gesellschaften. Es verdeckt aber die entstandene Leerstelle der kollektiven Formulierung kooperativer Interessen. Damit bleibt unbeantwortet, wie in modernen Gesell-

199 Vgl. Olson und Fleischmann 1985, Žižek 2017.

schaften kollektive Projekte initiiert und legitimiert werden, die für alle offen sind. Hier braucht es eine Antwort darauf, wie angesichts kontroverser Positionen Politik kollektiv zu gestalten ist.

Engagierte Bürger_innen als Ausgangspunkt zu nehmen ist weiterhin sinnvoll. Denn erst über die Deklaration und Formulierung von Bürgerrechten wurde in der Aufklärung ein Ausgangspunkt für eine schrittweise Demokratisierung und Stabilisierung der politischen Verhältnisse gefunden. Damit wurde nicht der Versuch unternommen, antike Modelle demokratischer Politik zu rekonstruieren. Vielmehr wurde nach neuen politischen Formen gesucht, welche politische Freiheiten in demokratischen Ordnungen festigen sollten.

In der Aufklärung zeigte sich, über die prinzipielle Anerkennung politischer Teilhabemöglichkeiten, dass es unter den aufbrechenden sozialen Ordnungsgefügen zu Veränderungen kommen kann. Politischer Streit führt zu politischer Veränderungen. Mit der Forderung nach einer gleichberechtigten Durchsetzung politischer Interessen setzte sich der Gedanke durch, dass es keine unumstößlichen normativen Ordnungen mehr gibt.[200] Die Ablehnung einer transzendentalen Begründung gesellschaftlicher Ordnung, die Forderung nach politischer Gleichheit und die Position eines autonom agierenden Subjekts kamen zusammen und haben zur Ausbildung neuer Formen der Politik beigetragen, die sich sukzessive stabilisierten.

Die erste und wesentliche Forderung, die in diesen Prozessen zum Vorschein kam, war die Forderung nach politischer Teilhabe. Sie zielte auf die Gewährleistung politischer Mitbestimmung und die Beteiligung an der Ausgestaltung der normativen Ordnung der Gesellschaft. Von Gott eingesetzte Herrschende sollte es nicht mehr geben. Und wenn doch, dann wurde der Versuch unternommen, ihnen ein kontrollierendes oder mitbestimmendes Parlament entgegen zu setzten. Der in der Aufklärung geschlossene bürgerliche Deal lief darauf hinaus, dass den Bürger_innen politische Teilhabe in der Form von Bürgerrechten ermöglicht wurde, ohne die ökonomischen Verhältnisse infrage zu stellen. Auch wenn die Möglichkeiten sozialer Organisation weiterhin begrenzt waren, es staatliche Repressionen, soziale Widerstände und partielle Rückschritte gab, setzte sich dieser Deal im 19. Jahrhundert durch.

200 Vgl. Castoriadis 2011b.

Nachdem sich Bürgerrechte und Modelle politischer Teilhabe durchgesetzt hatten, entwickelte sich ein neues Projekt, das sich auf die Umsetzung sozialer Sicherheiten richtete. Damit wurde nicht an dem Problem ökonomischer Ungleichheit gerührt. Aber soziale Verbesserungen wurden erstritten, welche die negativen Formen mangelnder sozialer Absicherung abfederten. Die politischen Kämpfe führten sukzessive zur Ausbildung der modernen Wohlfahrtsstaaten. Die einzelnen programmatischen Schritte auf diesem Weg liefen nicht direkt auf die Schaffung eines Wohlfahrtsstaates hinaus. Aber er war das entschiedene Ergebnis dieser politischen Aushandlungsprozesse.

Die in Gewerkschaften, Vereinen und Parteien organisierten Arbeitenden machten politischen Druck und stellten eine politische Größe dar, sodass Teile ihre Forderungen umgesetzt wurden. Die Umsetzung dieser Forderungen hat von staatlicher und ökonomischer Seite Vorteile, die nicht zu unterschätzen sind. In den sich industrialisierenden Nationalstaaten war es wichtig, auf breite Teile der Bevölkerung zurückzugreifen. Sie mussten gut ausgebildet sein, um die jeweiligen Anforderungen der Arbeitswelt in den Fabriken, bei der Verwaltung oder dem Militär zu erledigen. Zudem funktionieren Arbeitende ohne soziale Absicherung weniger gut innerhalb der durchgetakteten Arbeitswelt, wenn sie sich um Kinder, Kranke oder Pflegebedürftige kümmern müssen. Natürlich gibt es weiterhin variantenreiche Differenzen zwischen den nationalstaatlichen Modellen des Wohlfahrtsstaates und sehr viele Staaten, in denen noch nicht im Ansatz von einem Wohlfahrtsstaat gesprochen werden kann. Aber für den überwiegenden Teil der Industrienationen trifft diese Entwicklung zu.

Im Wohlfahrtsstaat realisieren sich für Luhmann „die Grundoptionen der modernen Gesellschaft".[201] Diese Aufbauphase des Wohlfahrtsstaates betrachtet er als abgeschlossen.[202] Die Schaffung der modernen Wohlfahrtsstaaten ist in erster Linie ein politisches Ergebnis. Er enthält weiterhin ökonomische Ungerechtigkeiten, aber einige ihrer Folgen wurden sozial abgefedert. Mit der dazugehörigen Einschränkung, dass dies bisher nur in Teilen der Welt so geschehen ist, mache ich dies zum Ausgangspunkt meiner weiteren Überlegungen. Denn hier zeigt sich eines der großen Probleme, mit denen diese ausgebauten Wohlfahrtsstaaten heute konfrontiert

201 Luhmann 1994, S. 108.
202 Vgl. Luhmann 1994, S. 104.

sind: Wenn sich die Grundoptionen der modernen Gesellschaft im Wohlfahrtsstaat realisiert haben, was kommt dann als Nächstes? Muss man mit Luhmann hier eine negative Lesart der gegenwärtigen Gesellschaften entwickeln?[203] Können wir nicht mehr erreichen, als bisher geschaffen wurde?

Hier ist festzuhalten, dass es zunehmend wichtiger wird, das bisher Erreichte zu bewahren, zu verbessern und auf andere Regionen auszuweiten. Politische Bürgerrechte und der Wohlfahrtsstaat sind nur auf politischen Druck hin entstanden. Die zunehmende Distanz zwischen Bürger_innen und der Politik, oder die sinkende Teilnahme an demokratischen Prozessen kann als politische Müdigkeit verstanden werden. Aber diese ist problematisch, weil die organisierten Interessen der Wirtschaft keine Müdigkeit verspüren, für ihre politischen Ziele einzutreten. Sie sind nur zu gerne dazu bereit, sich mit der Politik als der normativen Umgestaltung der gesellschaftlichen Ordnung auseinanderzusetzen.

Wenn es keine aktiven Fürsprecher_innen für eine soziale, ökologische und wohlfahrtsstaatlich ausgerichtete Politik mehr gibt, dann werden politische Errungenschaften zurückgefahren und aufgehoben. Wenn Menschen sich zunehmend der kollektiven Organisation ihrer Interessen enthalten, wenn es ihnen nicht mehr gelingt, geteilten Begründungen kooperativen Handelns zu folgen, dann Fehlen irgendwann die Menschen, die diese kollektiven und kooperativen Interessen noch forciert formulieren.

Als Problemaufriss verdeutlicht der düstere Horizont politischer Apathie, wohin das Fehlen eines kollektiven politischen Projektes führen kann. Wenn nach der Einsetzung des Wohlfahrtsstaates kein weiteres politisches Projekt entsteht, für das sich die an der politischen Teilhabe beteiligten Menschen interessieren, muss dies nicht schlimm sein. Aber es ist angebracht, sich kollektiv zusammenzuschließen, um die Errungenschaften des Wohlfahrtsstaates zu verteidigen, dafür zu sorgen, dass mehr Menschen vom Wohlfahrtsstaat profitieren und ihn zu verbessern.

Natürlich setzen sich weiterhin die verschiedensten Konstellationen von Gruppen für politische Projekte in den Wohl-

---

203 Vgl. Luhmann 1994, S. 104, 144ff. Luhmann richtet sich in seinem Text auf Fragen der möglichen Erwartungen, die unter den beschriebenen Bedingungen noch an Politiker und das Funktionssystem Politik gestellt werden können.

fahrtsstaaten ein. Aber ein neues Großprojekt – vergleichbar mit der Erkämpfung von Bürgerrechten und der grundlegenden sozialen Absicherung im Wohlfahrtsstaat – taucht am Horizont nicht auf.[204] Verschwinden dann noch die Gruppierungen, die wohlfahrtsstaatliche Interessen vertreten, muss es nicht verwundern, wenn es zu einer Zunahme ökonomischer Ungleichheiten unter dem Neoliberalismus kommt. In dieser Hinsicht ist der Neoliberalismus als ein Austesten der sozialen und politischen Grenzen des Wohlfahrtsstaates zu verstehen. Im Neoliberalismus werden die Grenzen der normativen Ordnung wieder neu verhandelt.

Nach dem Ende der großen politischen und sozialen Bewegungen und Kämpfe fehlt in den liberalen und demokratischen Wohlfahrtsstaaten derzeit ein weiteres politisches Projekt. Hier braucht es eine neue soziale und politische Agenda, die kooperative Interessen weiter vorantreibt. Hier braucht es die Forderung soziale und ökonomische Teilhabe global gerecht zu gestalten, über die organisierten Einwände global organisierter Wirtschaftsinteressen hinweg.

Der Wohlfahrtsstaat war nur über die Verlagerung ökonomischer Ungleichheit an die nicht einbezogene Peripherie möglich. Über einen einkalkulierten Prozess der Ausbeutung. Heute ist es das nonchalante Ergreifen von wirtschaftlichen Standortvorteilen. Wie kann die wirtschaftliche Ausbeutung von Arbeitenden ein Standortvorteil sein? Wie sehr müssen sich Vorstellungen von klugem Handeln hier verbogen haben, um dies als Position vertreten zu können?

Ein neues politisches Projekt sollte damit ansetzen, den Bereich der Ökonomie wieder als einen politisch ausgestalteten Bereich der normativen Ordnung der Gesellschaft zu betrachten. Dieses Projekt kann zu einer Reartikulation des bürgerlichen Deals beitragen, wenn es ihm einen alternativen Spin verpasst. Er ist dann nicht mehr nur die Geschichte vom Tausch der politischen Freiheiten gegen die Akzeptanz ökonomischer Ungleichheiten. Vielmehr kann es zu einem Deal der Aufhebung des bisher

---

204 So sehr ich Alain Badious „kommunistische Hypothese“ teile, dass es nur eine Welt gibt, die der gemeinsame Nenner allen sozialen Engagements sein sollte, sind Sozialismus oder Kommunismus für mich hier nur alternative Ausformulierungen und Entwürfe eines wohlfahrtsstaatlichen Projektes, vgl. Badiou 2008.

geschützten Raumes der Ökonomie vor politischen und sozialen Forderungen werden. Dann werden Aspekte der wirtschaftlichen Ordnung wieder zum Gegenstand der politischen Auseinandersetzung. Denn gerade hier ist die Gefahr groß, dass sich die globalisierten Wirtschaftsprozesse zunehmend von demokratischen Formen der Politik lösen und nicht mehr von politischen Prozessen eingehegt werden.

Dieses neue politische Projekt kann sich verstärkt gegen ungerechte Ungleichheiten richten, die heute noch Bestandteil unserer sozialen Wohlfahrtsstaaten sind.[205] Die Diskussion dazu ist allerdings auf einer qualitativen Ebene zum Stillstand gekommen und kämpft sich derzeit noch an den neoliberalen Problemstellungen globalisierter Wirtschaftsprozesse ab. Es gibt weiterhin politische Kämpfe, die sich in weiten Teilen der Welt erst noch auf die Einsetzung von bürgerlichen Freiheiten und von Menschenrechten richten. Dies ist noch nicht abgeschlossen. Auch gibt es in den Ländern mit solchen bürgerlichen Freiheiten noch nicht in gleicher Weise wohlfahrtsstaatliche Organisation, wie dies für alle Menschen auf der Welt eine politische Zielsetzung sein sollte. Daher ist es auch nur richtig, wenn bürgerliche Freiheiten in Wohlfahrtsstaaten dazu genutzt werden, um diese beiden Punkte in der gesamten Welt umzusetzen. Das ist bereits eine starke politische Zielsetzung, die über den derzeitigen Rahmen hinausgeht.

Letztlich ist noch der Faktor Zeit zu beachten. Vom deutschen Ordoliberalismus bis zu den ersten großen neoliberalen Umsetzungen in den 80er Jahren vergingen über 40 Jahre. Die ökologische Bewegung brauchte gleichermaßen über eine Generation, um die Gedanken die Antiatomkraftbewegung gesellschaftlich konsensfähig zu machen und den Ausstieg aus der Atomkraft zu erreichen. Ideen und Projekte entwickeln sich nicht über Nacht, sondern brauchen Zeit, um sich durchzusetzen.

Heute reagieren wir noch auf den neoliberalen Rollback* des Wohlfahrtsstaates der 80er Jahre. Es kommt nur bedingt zu einem politischen Agieren, dass ein neues Projekt entwickelt und eine dritte Phase sozialer und politischer Entwicklung forcieren würde. Vielleicht ist die politische Entwicklung an einem Punkt angelangt, wo die Möglichkeiten dieses Modells ausgereizt sind. Vielleicht ist das Modell des bürgerlichen Wohlfahrtsstaates noch nicht weit

---

205 Vgl. Dubet 2008, S. 15.

genug umgesetzt, sodass dieses Systems noch nicht bereit ist, um einen nächsten qualitativen Schritt zu machen. Es bleibt allerdings absolut richtig, alles dafür zu tun, dieses Modell weiter zu erhalten und zu verbreiten.

5.3 Herausforderungen kooperativer Handlungsmacht

Wie wollen wir unser soziales, politisches und ökonomisches Zusammenleben gestalten? Welche Institutionen und Regelungen brauchen wir? In welchen Institutionen und Kooperationen wollen wir tätig sein? Diese Fragen und Aspekte werden in der Auseinandersetzung über die Ausgestaltung unserer sozialen Praxis berührt. Dann geht es nicht mehr allein um Sozialpolitik, sondern wie dies von Martin Kronauer paradigmatisch gefordert wird, um eine Politik des Sozialen.[206]

Mit der Politik des Sozialen greift Kronauer die kollektive Verantwortung auf, Formen der sozialen Teilhabe zu ermöglichen, die allein oder durch den Markt nicht realisiert werden. Kronauer fokussiert sich besonders auf die Relationen zwischen dem Problemfeld Arbeit und dem sozialen Status. Diese Bereiche sind wesentliche Quellen der Organisation von gesellschaftlicher Zugehörigkeit und Teilhabe. Für Kronauer ist es wichtig, in der zu schaffenden Politik des Sozialen, die gesellschaftlichen Voraussetzungen individueller Selbstbestimmung zu stärken.[207] Und dies auf eine Art und Weise, wie sie uns in der Begründung der Sorge um andere bei Foucault bereits begegnete:

> „Warum muss es ein zentrales gesellschaftspolitisches Ziel sein, ein selbstbestimmtes Leben für alle zu ermöglichen? Weil davon die Lebensqualität in der Gesellschaft und ihre demokratische Qualität abhängt. Die zunehmende Marktabhängigkeit in fast allen gesellschaftlichen Bereichen verbreitet das Gift der Unsicherheit, in unterschiedlich starken Dosen, durch die gesamte Gesellschaft. Unsicherheit schränkt die Möglichkeiten, ein selbstbestimmtes Leben zu führen, grundlegend ein.“[208]

Ökonomische Sicherheit ist eine wesentliche Bedingung für weitergehende kooperative Schritte oder politische Organisation. Wenn wir durch ökonomische Unsicherheiten bedrängt werden, schwindet die Bereitschaft zu sozialer Kooperation. Dann gibt es

---

206 Vgl. dazu und im Folgenden Kronauer 2007.
207 Vgl. Kronauer und Schmid 2011, S. 160.
208 Kronauer und Schmid 2011, S. 161.

subjektiv drängendere Probleme, als die Mitgestaltung demokratischer Prozesse.

In der sozialen Praxis eröffnet sich über kollektive Zusammenarbeit ein Zugriff auf die Umgestaltung der normativen Ordnung. Individuelle Akte des Widerstandes, der Wiederholung oder der Reartikulation positionieren sich bereits gegenüber dem Bestehenden und setzen neue normative Ordnungen performativ ein. Aber nur im kollektiven Austausch über diese performativen Reartikulierungen und in der kollektiven Übernahme dieser neuen Formulierungen setzt sich langfristig eine Umgestaltung der gemeinsamen normativen Ordnung durch.

Mit anderen Worten: Kooperatives Handeln entwickelt sich nur, wenn verpflichtende normative Strukturen einen Rahmen schaffen, der soziale Kooperation begünstigt. Das bedeutet vor allem, dass Strukturen geschaffen werden, die zwei Dinge mitbedenken: Sie dürfen nicht nur darauf beruhen, dass sich alle Menschen voller Freude und Tatendrang aus gutem Willen allein heraus an ihnen beteiligen werden. Altruismus zur Voraussetzung von sozialer Kooperation zu machen ist bedenklich und klingt zudem hilflos. Die Menschen, sie sind nicht so. Soziale Kooperation kann auch einem egoistischen Antrieb folgen oder wie bei dem bereits erwähnten Problem des Trittbrettfahrens, gar nicht angestrebt werden. Kooperative Strukturen sollten sich für beide Fälle rüsten. Sie sollten darauf ausgelegt sein, dass nicht alle mitmachen werden. Einige werden auch weiterhin nur den offensichtlichen individuellen Vorteil suchen. In einem steuerfinanzierten sozialen Umlagesystem können sich Impfgegner_innen weiterhin dem Ziel der Ausrottung der Masern verweigern. Aber immerhin bezahlen sie über ihre Steuern die Impfungen der anderen mit. Der unschlagbare Vorteil sozialer Kooperation ist es, dass bei hinreichender Beteiligung Trittbrettfahrende kein Problem mehr darstellen. Die Gemeinschaft trägt sie mit.

Die Formulierung der Bedingungen einer gesicherten Kollektivität ist wichtig. Eine sichere Umgebung befördert und ermöglicht kooperatives Verhalten, respektive nur in einem sozial abgesicherten Rahmen sind wir in der Lage weitergehende soziale Handlungen zu vollziehen, die nicht nur den eigenen Interessen dienen.[209] Hier taucht der zuvor von Luhmann geäußerte Gedanke wieder auf, dass die reine Suche nach Emanzipation und Auto-

209 Vgl. dazu Rendueles 2015, 121–156.

nomie zu einer problematischen Leerstelle führt, wenn keine kooperativen und sozial bindenden Perspektiven eingenommen werden. Im Gegenzug ist es wenigstens blauäugig anzunehmen, es ließe sich für eine absolute und ungebundene Freiheit argumentieren. Dies mag es innerhalb der Rahmensetzung individueller Entscheidungen geben. Aber allein die Reflexion auf die Möglichkeitsbedingungen freier Entscheidungen verdeutlicht, dass wir immer auf soziale Kooperation angewiesen sind. Individualanarchismus, neoliberaler Egoismus oder hedonistische Selbstverwirklichung ohne Rücksicht auf andere sind nur Varianten des Trittbrettfahrens, das soziale Abhängigkeiten und soziale Verantwortung ausblendet.

Alle Versuche der Gründung kollektiver Projekte sind mit dem Problem konfrontiert, dass es keine verbindlichen fundamentalen Begründungen mehr gibt. Gleichwohl kann sich die Entwicklung einer Bürgergesellschaft oder einer Gesellschaft, die sich in gemeinsamen kollektiven Strukturen organisiert, nur auf gemeinsam geteilte Begründungen stützen. Es bedarf daher eines Austausches über diese fundamentalen Begründungen und deren sozialer Reich- und Tragweite.

Als programmatischer Ausblick lässt sich dazu das Ziel formulieren, dass die Wege der sozialen Teilhabe von einengenden strukturierenden und normativen Aspekten der Ökonomie getrennt werden müssen. Damit über verbesserte Möglichkeiten der Inklusion und eine gerechtere Verteilung von Ressourcen neue Möglichkeiten der Mobilisierung von sozialer Anerkennung entstehen.

Dabei gehört nicht nur die Realisierung sozialer Aufstiegschancen im Sinne einer Chancengleichheit. Sozialer Aufstieg sollte nicht nur im verbesserten Zugriff auf politische und soziale Ressourcen gründen, sondern sollte zu einer Verbesserung der demokratischen Formen der Teilhabe aller führen. Dabei geht es nicht nur um eine Veränderung der individuellen oder kollektiven Wahrnehmung, sondern um die Verstärkung der politischen Beteiligungs- und Steuerungsmöglichkeiten sozialer Akteure. Sie sind angesprochen, wenn es sich um die Ausgestaltung ihrer sozialen Belange dreht. Sie müssen sich mit kollektiven Formen des Handelns und den Fragen von sozialer und politischer Gleichheit und Gerechtigkeit auseinandersetzen.

Dazu gehört die Diskussion tragbarer Konstellation von Gerechtigkeit. Individuelle und kollektive Konzeptionen von Gerechtigkeit sind immer Motor und Antrieb politischer Ausgestaltung. Aus der Perspektive der Soziologie hat Dubet dazu einen spannenden Zugang zum innergesellschaftlichen Umgang mit verschiedenen Gerechtigkeitskonzeptionen aufgezeigt. Mit den sich hier eröffnenden polyarchischen Positionen zur Gerechtigkeit und den daraus entwickelten politischen Haltungen ist ein innergesellschaftlicher Umgang zu finden.

Dazu gehört ein Umgang mit den hybriden Formen der Subjektivität. Dies ist eine Auseinandersetzung mit der Frage, wie unter modernen Bedingungen politische und soziale Kohärenz etabliert werden kann. Und wie diese Kohärenz mit einer inkludierenden Offenheit zusammengeht. Unter den Bedingungen poststrukturalistischer Philosophie war vom Verschwinden des Subjekts die Rede. Diese Beobachtung reagierte auf die sich wandelnden sozialen Konstellationen in den modernen Gesellschaften. Der Poststrukturalismus liegt mit seinen Analysen vielleicht näher an der politischen Beschreibung der Öffentlichkeit, als einige es gut finden wollen: Soziale Akteure sind hybride Subjekte, die in multipolaren gesellschaftlichen Positionen und in wechselnden Funktionen agieren. Dennoch ist das Bedürfnis nach sozialer Kohärenz weiterhin enorm.

Die Politik des Sozialen sollte es sozialen Akteuren ermöglichen, tragfähige Formen der Legitimation zu entwickeln. Um soziale Gegenentwürfe konsistent zu vertreten, werden stabile oder starke emotionale Ordnungen oder wirkungsvolle affektive Anbindungen benötigt. Dann ist es einfacher, zuweilen auch von sozialen Normen abzuweichen. In lokalen Gruppen können normativ abweichende Positionen aufgefangen oder trainiert werden. Alle sozialen Akteure sind dazu mit der Aufgabe konfrontiert die Lücke zwischen dem, was individuell erstrebt und kollektiv gefordert wird, zu überbrücken. Unstimmigkeiten müssen nicht zwangsläufig zum Scheitern führen. Hier entsteht soziale Varianz.

Was ist sozial verhandelbar? Was ist sozial vertretbar? Es wird Graubereiche geben. Eine prinzipielle Offenheit für andere Konstellationen kann den gemeinsamen Umgang erleichtern. Der Umgang mit hybriden Formen der Subjektivität fordert letztlich zu einer Auseinandersetzung mit den Formen unseres Wissens, mit der Organisation unserer sozialen Erfahrung und unseren kollektiven Wissensansprüchen auf. Wir sollten offenbleiben für Zugänge zu anderen Formen der sozialen Erfahrung. Wir sollten offenbleiben für abweichende Formulierungen von Wissensansprüchen. Wir müssen nicht alles akzeptieren, aber dann eben begründet sagen können, was nicht geht.

Das Selbst benötigt Formen der Legitimation, die aus der normativen Aktivität der sozialen Erfahrung hervorgeht. Gesellschaftlich kann Legitimation nur noch bedingt zur Verfügung gestellt werden. Es gelten die Bedingungen und Herausforderungen der postfundamentalen Gesellschaft. Was Dubet in Bezug auf individuelle soziale Erfahrung untersuchte, kann übertragen werden auf Prozesse der kollektiven sozialen Erfahrung: Wie wird Wissen in kollektiven Strukturen erarbeitet? Wie werden aufgrund einer gemeinsamen sozialen Erfahrung politische Motivationen ausgebildet, die kollektives Handeln initiieren? Wie vermitteln wir wertschätzende Perspektiven, die auf die kooperative Ausgestaltung der Gesellschaft ausgerichtet sind? Wie können wir die auf die Aufrechterhaltung des Gemeinwesens fokussierte kooperative Identität fördern? Hier ist es eine große Herausforderung, soziale Akteure mit ihren eigenen Differenzen zu versöhnen und sie im Umgang mit den Differenzen der Anderen zu unterstützen. Differenzen sind Schmierstoff und Antriebsmittel. Sie sind Bindemittel sozialer Kohäsion. Über Unterscheidungen fördern und erreichen wir Anschlussfähigkeit, mit der sich kooperative Identität, als Teil unserer hybriden Subjektivität, wieder in politischen und sozialen Systemen lokalisieren kann.

Heute muss es darum gehen, alle in einem politischen Modell kooperativer Praxis zu inkludieren. Nicht nur diejenigen, die sich offiziell an Wahlen beteiligen dürfen, sondern alle Menschen, die an der normativen Ausgestaltung der Politik teilnehmen wollen. Die Formel der Aufrechterhaltung des Gemeinwesens verweist weniger auf die Bürger_innen als einer festen Gruppe, als vielmehr auf ein geteiltes kooperatives Selbstverständnis. Dies ist ein Selbstverständnis dessen, was es heißt, sich in die normative Ausgestaltung der sozialen Praxis einzubringen. Dies ist der Aspekt der eigenen Identität, mit dem wir uns als politisch begreifen und uns in soziale Strukturen einbringen. In dieser Hinsicht sind ausgrenzende Wege der Beteiligung an der repräsentativen Demokratie zu minimieren. Die Aktivierung einer nicht an einen Aufenthaltsstatus gebundenen

Form der kooperativen Identität ist für mich exemplarisch für die angestrebte Ausgestaltung der Teilhabemöglichkeiten an der Politik. Der Ruf nach mehr Partizipation fordert insgesamt die Verbesserung der Möglichkeiten der Teilhabe aller.

Wir müssen die Auseinandersetzung mit unseren normativen Ordnungen suchen. Hier greift die von Luhmann getroffene Charakterisierung der Funktion der Politik als das Treffen von kollektiv-bindenden Entscheidungen.[210] Diese Funktion des Politischen und der Politik muss klar zugänglich gemacht und realisiert werden. Unter den postpolitischen Konstellationen machen wir derzeit die Beobachtung, dass Politik noch zu oft ohne uns stattfindet. Aber das muss nicht so sein. An den Stellen, wo wir nicht gefragt oder beteiligt werden, sollten wir uns lautstark äußern. Sprich: Wenn Dir etwas nicht gefällt, dann sag es. Ziehe neue Aufteilungen des Sinnlichen in den diskursiven Bereich normativer sozialer Praxis ein.

Es gibt derzeit keine Garantie, dass Politik von Menschen gemacht wird, die immer an alle, die Schwächsten oder nur Dich gedacht haben. Die Vertretung eigener Interessen ist immer ein wesentlicher Antrieb der Politik gewesen. Da ist es eben wie bei Foucault die Sorge um andere, die im Idealfall aus der Sorge um sich gespeist wird. Oder wie bei Spinoza, wo es nichts Nützlicheres gibt, für den Menschen als den Menschen.[211]

Was gewinnen wir mit dieser aktiven Beteiligung? In erster Linie verpflichtende Sozialstrukturen, die wir mitgestaltet haben. Sie sind das Ergebnis unserer Politik. Wenn wir uns über die normative Ausgestaltung unserer sozialen Praxis austauschen, nehmen wir eine Haltung ein, die sich von der üblichen Rede über soziale Fakten unterscheidet. Wir tauschen uns ausgehend vom Ist-Zustand einer gegebenen Gegenwart über den Soll-Zustand einer möglichen Zukunft aus. Wir entwerfen uns dabei auf eine mögliche Zukunft hin und befinden uns in einer Situation, welche die normativen Bedingungen dieser Zukunft erst noch schafft. Wir reden damit über Dinge, die noch nicht der Fall sind. Wir halten es aber für wünschenswert, dass sie eintreten und gegenüber denen wir bereit sind uns zu verpflichten, falls sie eintreten. Sie sollen geschehen.

---

210 Vgl. Luhmann 1975, S. 80, 1997, S. 782.

211 Vgl. Spinoza *Ethik* IVP35C1.

Was brauchen wir dazu? Pragmatische Offenheit gegenüber neuen Lösungen, die nicht für immer, sondern für die aktuelle Problemlage gelten. Eine Offenheit gegenüber kontroversen Vorschlägen und widersprüchlichen Konstellationen. Denn es gilt nicht die Dinge bis in alle Ewigkeit zu regeln, sondern auf aktuelle Konflikte und Problemstellungen zu reagieren. Hier besteht eine Spannung zwischen etablierten Verfahren und der notwendigen Offenheit für Neues. Diese Spannung besteht zwischen instituierten Formen, mit denen kollektiv bindende Entscheidungen getroffen werden und der Notwendigkeit diese mit Formen der Offenheit zu kombinieren. Die härteste Form der Auseinandersetzung wird zwischen etablierten und neuen Ansprüchen geführt.[212]

Fragen der sozialen Kooperation stellen insgesamt neue Anforderungen an uns. Wir müssen nicht nur individuelle Positionen mit dem Gemeinwesen abgleichen, sondern auch auf öffentliche Anforderungen reagieren. Es gilt schwierige Konstellationen individueller und kollektiver Interessen zu meistern, die sich zwischen individueller Souveränität und den Anforderungen sozial-kooperativer Verpflichtungen entfalten.

Letztlich ist es wichtig, soziale Kooperation als alltägliche Herausforderung zu verstehen. Es gibt keinen fertigen Projektplan Demokratie. Bestenfalls ergreifen wir sozial-kooperative Chancen. Niemandem ist damit geholfen, wenn nicht realisierbare soziale Forderungen aufgestellt werden, die weder mit der sozialen Realität noch der sozialen Erfahrung von Menschen etwas zu tun haben. Solidarität erstreckt sich nicht nur auf Hilfen im Alltag, sondern auch auf die Aufrechterhaltung öffentlicher Institutionen. Wir sind nicht nur solidarisch, wenn wir Freunden oder Fremden helfen und sie unterstützen. Wir sind auch solidarisch, wenn wir Steuern zahlen. Soziale Kooperation ist dabei keine Einbahnstraße. Wir können uns ihr auch entziehen. Soziale Kooperation bedeutet, individuelle Freiheitsbestrebungen zu ermöglichen. Was ist den Bürger_innen als Citoyen abzufordern und als Bourgeois zuzugestehen? Dies kann nur im kollektiven Austausch bestimmt werden. Wir sollten nicht allen trauen und wir können auch

212 Das ist der Punkt, wo Butler in Anlehnung an Theodor Adorno ethische Gewalt verortet. Sie entsteht, wenn Normen aufrechterhalten werden, die keine aktuelle Unterstützung mehr haben und nur noch aufgrund ihrer Form befolgt werden, vgl. Butler 2005, S. 5.

individuelle Interessen ausleben lassen, die gemeinschaftlichen Interessen entgegenstehen.

6 Glossar

Es gibt die Auffassung, dass Begriffe klar bestimmt und wohl definiert sein sollten. Ich teile diese Auffassung. Allein zeigt die Auseinandersetzung mit Grundzügen der Kommunikation, dass es ein sehr ambitioniertes Verlangen darstellt, zu verstehen und verstanden zu werden. Die Garantien sind zu gering, die Chance missverstanden zu werden zu hoch. Ich präferiere daher einen alternativen Zugang:

Von Fremdwörtern und expliziten Wortneuschöpfungen abgesehen sollte eine Theorie versuchen eine breite Offenheit für die in ihr verwendeten Begriffe aufweisen. Was kann das heißen? Ich mag keine Überzeugungsarbeit leisten, wie denn nun ein Begriff wie Autonomie oder Gender richtig definiert ist. Für mich weisen diese Begriffe komplexe Bedeutungsfelder und Problemzonen auf, die mit ihren konfligierenden Differenzen viel spannender sind, als die dezidierte und konzise Auseinandersetzung mit einer Definition, die dann alles erklären soll.

Mit anderen Worten, das anschließende Glossar enthält einige Begriffsdefinitionen und Klarstellungen. Sie sind nicht allgemeingültig, sollen aber zur Erläuterung der verwendeten Begriffe und Kontexte beitragen. Im Idealfall sollte die entwickelte Theorie auch mit abweichenden Definitionen und alternativen begrifflichen Vorstellungen funktionieren.

Agency – Agency ist die individuelle oder kollektive Fähigkeit zum bewussten Handeln. Im Text verwende ich dies austauschbar mit dem Begriff Handlungsmacht. Damit sind alle bewussten, rationalen und auf Überlegung und Entscheidungen beruhenden Handlungen von Individuen oder Gruppen gemeint. Agency wird von sozialen, strukturellen oder funktionalen Einschränkungen beeinflusst. Mich interessiert mit diesem Begriff die Handlungsmacht, die uns danach oder aufgrund dieser Einschränkungen noch bleibt.

Antinomie – *altgr.* gegen das Gesetz, unvereinbar mit dem Gesetz. Eine Aussage, die einen Widerspruch enthält, oder wo zwei oder mehr Aussagen gleiche Gültigkeit beanspruchen können.

autonom, Autonomie – *altgr.* Selbstbestimmt, Selbstgesetzgebung. Autonomie wird als Schlagwort oft mit Freiheit und Unabhängigkeit in Verbindung gebracht oder als Selbstbestimmung charakterisiert. Dabei kommt der ebenfalls bedeutsame Gedanke der Selbstgesetzgebung in diesem Umfeld zuweilen zu kurz, der Autonomie auch mit Selbstbeschränkung oder Selbstbegrenzung in Verbindung bringt. Gegenbegriff: heteronom, Heteronomie

demos – *altgr.* Staatsvolk, Gemeinde, Bürgerschaft. Der Begriff verweist auf den *demos* als Verwaltungseinheit der antiken griechischen Stadt. Der *demos* steht auch für die Versammlung der Menschen mit vollständigen Bürgerrechten.

epistemisch – *altgr. epistéme:* Wissen, Erkenntnis, Einsicht.

Externalisierung – ist ein Prozess des Nach-Außen-Verlagerns, des Vertretens von regulierenden sozialen Normen. Externalisierung geschieht über die performative Umsetzung von Normen und stärkt individuelle und kollektive Kohärenz.

Gender – der Begriff verweist auf die sozialen und kulturellen Zuschreibungen, die mit einem Geschlecht einer Person zugesprochen werden. Der Begriff grenzt sich damit von biologischen Zuschreibungen ab, die zu einem Geschlecht getroffen werden können.

heteronom / die ***Heteronomie*** – *altgr.* Fremdbestimmt, Fremdbestimmung. Heteronomie verweist auf die Abhängigkeit von fremden Einflüssen. In Hinblick auf die Diskussion der Willensfreiheit ist Heteronomie der Gegenbegriff zur Autonomie. Heteronomie muss nicht zwangsläufig mit fehlender Selbstbestimmung einhergehen, sie kann auch selbst gewählt sein.

Identitätspolitik – In der Identitätspolitik werden die partikularen Bedürfnisse oder Interessen einer spezifischen Gruppe zum politischen Thema erhoben. Über den Rückgriff auf eine bestimmte Identität wird dabei die Gruppe als solche intern gefestigt und ihr politischer Anspruch nach außen formuliert.

Inferenziell, Inferenzialismus – Über Schlussfolgerungen und gegenseitige Abhängigkeiten miteinander verbunden. Robert Brandom Sprachtheorie plädiert für eine inferenzielle Semantik, in welcher der Gebrauch von Aussagen über ihre Bedeutung mitentscheidet.

intermediär – *lat.* dazwischenliegend, vermittelnd. In den Sozial- und Politikwissenschaften wird der Begriff verwendet, um den Bereich der Vermittlung zwischen Bürger_innen und Politik zu thematisieren. In diesen Bereich fallen alle organisierten sozialen Gruppen, von Vereinen, Verbänden, Parteien, Bürgerinitiativen bis hin zu Nichtregierungsorganisationen oder den Medien.

Internalisierung – ist der Prozess der Übernahme und Verinnerlichung von sozialen Normen in der Sozialisation und Subjektkonstituierung.

Kooperation – *lat.* Zusammenwirkung, Mitwirkung.

Kollektiv – *lat.* zusammensuchen, zusammenlesen. Ich verwende den Begriff in einem weiten Sinn und verweise damit auf Formen des gemeinsamen Handelns oder Verhaltens, die auch ohne strukturierte oder organisierte Gemeinschaft stattfinden können. Dies kann ein lokales soziales Verhalten sein, eine kulturelle Sitte, die von allen Menschen einer Region geteilt wird. Dieses Handeln oder Verhalten kann auch engere Formen annehmen, muss aber nicht.

logos – *altgr.* Rede, Vernunft, Definition, Sinn, Erklärung. Der Begriff *logos* hat eine umfangreiche Rezeptionsgeschichte. Der *logos* steht für Sinn, Vernunft oder auch für Formen des begründenden Redens, des *logon didonai*. In der begründenden Rede treten die Gründe hervor, die für ein Verhalten, eine Disposition oder eine Einstellung im Gespräch angegeben werden, es wird Rechenschaft abgelegt.

ontologisch*, *Ontologie - *altgr.* die Lehre vom Seienden. Als philosophische Disziplin setzt sie sich mit der Erkenntnis der Grundstrukturen der Welt auseinander.

Phronesis – *altgr.* Klugheit.

polyarchsisch*, *Polyarchie – *altgr.* Vielherrschaft. Robert Dahl führte den Begriff in die Politikwissenschaft ein, um politische Organisationen zu charakterisieren, in denen verschiedene Zentren von politischer Macht bestehen, vgl. Dahl 1976. Bei François Dubet wird der Begriff verwendet, um die Gleichzeitigkeit verschiedener miteinander konkurrierender Gerechtigkeitsprinzipien zu beschreiben, vgl. Dubet 2008, S. 180.

Postdemokratie – Ich folge hier den Positionen von Crouch und Rancière. Postdemokratie und Postpolitik sind Positionen, die nach einer ersten Etablierung von demokratischen Strukturen stattfinden und die mit inhaltlicher Kritik an den gegenwärtigen Formen von Demokratie oder Politik verbunden sind. Postdemokratische Kritik fokussiert sich dabei vermehrt auf die konkrete Umsetzung der Politik, wohingegen sich die post-politische Kritik tendenziell eher auf die Bedingungen der Möglichkeit von politischem Austausch richtet.

Postpolitik – siehe Postdemokratie.

Rollback – *eng.* zurück rollen, zurück drehen. Im Kalten Krieg war dies ein Begriff, mit dem die US-amerikanische Politik der Einflussnahme auf die von der Sowjetunion kontrollierten oder beeinflussten Regionen charakterisiert wurde. Rollback war dann der Versuch, die sowjetische Einflusssphäre zurückzudrängen.

Theoriedesign – mit dem Begriff ziele ich auf die kombinierende Zusammenstellung verschiedener Theorien, die nicht unbedingt zusammengedacht werden. Diese Kombination ist keine umfassende Ausarbeitung einer neuen Theorie, sondern eine perspektivische Anwendung und Kombination bestehender Theorien, um gezielte Fragestellungen zu bearbeiten.

7 Literatur

Almond, Gabriel A.; Verba, Sidney (1965): An Approach to Political Culture. In: Gabriel A. Almond und Sidney Verba (Hg.): The Civic Culture. Political Attitudes and Democracy in Five Nations. Boston: Little Brown, S. 3–42.

Althusser, Louis (2010): Ideologie und ideologische Staatsapparate. In: Louis Althusser und Frieder Otto Wolf (Hg.): Ideologie und ideologische Staatsapparate. Hamburg: VSA-Verlag, S. 37–102.

Badiou, Alain (2008): The Communist Hypothesis. In: *New Left Review* 49, S. 29–42.

Baecker, Dirk (2003): Die vierte Gewalt. Kongress der Bundeszentrale für politische Bildung mit dem Adolf Grimme Institut. Berlin, 01.12.2003. Online verfügbar unter https://www.bpb.de/veranstaltungen/dokumentation/129707/die-vierte-gewalt. Zuletzt geprüft am 27.11.2017.

Barthes, Roland (2010): Mythen des Alltags. Berlin: Suhrkamp.

Bauer, Birgit (2000): Der Objektivitätsbegriff in der feministischen Debatte um die Naturwissenschaften. Hamburg. Online verfügbar unter robinbauer.eu/web_robin/wp-content/uploads/2014/10/objektivitaet.pdf. Zuletzt geprüft am 30.11.2017.

Blühdorn, Ingolfur (2006): billig will Ich. Post-demokratische Wende und simulative Demokratie. In: *Forschungsjournal Neue Soziale Bewegungen* (4), S. 72–83.

Böckenförde, Ernst-Wolfgang (1976): Staat, Gesellschaft, Freiheit. Studien zur Staatstheorie und zum Verfassungsrecht. Frankfurt am Main: Suhrkamp.

Bödeker, Sebastian (2012): Soziale Ungleichheit und politische Partizipation in Deutschland. Grenzen politischer Gleichheit in der Bürgergesellschaft. Otto Brenner Stiftung. Frankfurt am Main.

Böhnke, Petra (2011): Ungleiche Verteilung politischer und zivilgesellschaftlicher Partizipation. In: *Aus Politik und Zeitgeschichte* (1-2), S. 18–25.

Brandom, Robert (1979): Freedom and Constraint by Norms. In: *American Philosophical Quarterly* 16 (3), S. 187–196.

Brandom, Robert (2000): Expressive Vernunft. Begründung, Repräsentation und diskursive Festlegung. Frankfurt am Main: Suhrkamp.

Brandom, Robert (2001): Begründen und Begreifen. Eine Einführung in den Inferentialismus. Frankfurt am Main: Suhrkamp.

Butler, Judith (1988): Performative Acts and Gender Constitution. An Essay in Phenomenology and Feminist Theory. In: *Theatre Journal* 40 (4), S. 519–531.

Butler, Judith (1993): Poststructuralism and Postmarxism. In: *Diacritics* 23 (4), S. 2–11.

Butler, Judith (1997): Körper von Gewicht. Die diskursiven Grenzen des Geschlechts. Frankfurt am Main: Suhrkamp.

Butler, Judith (2001): Psyche der Macht. Das Subjekt der Unterwerfung. Frankfurt am Main: Suhrkamp.

Butler, Judith (2003): Das Unbehagen der Geschlechter. Frankfurt am Main: Suhrkamp.

Butler, Judith (2005): Giving an Account of Oneself. New York: Fordham Univ. Press.

Butler, Judith (2011): Performative Akte und Geschlechterkonstitution. Phänomenologie und feministische Theorie. In: Uwe Wirth (Hg.): Performanz. Zwischen Sprachphilosophie und Kulturwissenschaften. Frankfurt am Main: Suhrkamp.

Castoriadis, Cornelius (1984): Gesellschaft als imaginäre Institution. Entwurf einer politischen Philosophie. Frankfurt am Main: Suhrkamp.

Castoriadis, Cornelius (2011): Philosophie, Demokratie, Poiesis. Hg. v. Michael Halfbrodt und Harald Wolf. Lich: Edition AV.

Castoriadis, Cornelius (2011a): Getan und zu tun. In: Castoriadis 2011, S. 183–270.

Castoriadis, Cornelius (2011b): Die griechische polis und die Schöpfung der Demokratie. In: Castoriadis 2011, S. 17–68.

Constant, Benjamin (1972): Werke in vier Bänden. Hg. v. Axel Blaeschke. Berlin: Propyläen-Verl.

Crouch, Colin (2008): Postdemokratie. Frankfurt am Main: Suhrkamp.

Crozier, Michel; Huntington, Samuel Philipps; Watanuki, Joji (1975): The Crisis of Democracy. Report on the Governability of Gemocracies to the Trilateral Commission. New York: New York Univ. Press.

Dahl, Robert Alan (1976): Vorstufen zur Demokratie-Theorie. Tübingen: Mohr.

Dahrendorf, Ralf; Polito, Antonio; Seuß, Rita (2002): Die Krisen der Demokratie. Ein Gespräch mit Antonio Polito. München: Beck.

Dietz, Karl-Martin (2013): Die Entdeckung der Autonomie bei den Griechen. In: *Forum Classicum* (4), S. 256–262.

Dubet, François (1994): Sociologie de l'expérience. Paris: Ed. du Seuil.

Dubet, François (1995): Sociologie du sujet et sociologie de l'expérience. In: François Dubet und Michel Wieviorka (Hg.):

Penser le sujet. Autour d'Alain Touraine: [colloque de Cerisy]. Paris: Fayard, S. 103–121.
Dubet, François (2003): Le déclin de l'institution. Paris: Ed. du Seuil.
Dubet, François (2008): Ungerechtigkeiten. Zum subjektiven Ungerechtigkeitsempfinden am Arbeitsplatz. Hamburg: Verlag Hamburger Ed.
Durkheim, Emile (2012): Über soziale Arbeitsteilung. Studie über die Organisation höherer Gesellschaften. Frankfurt am Main: Suhrkamp.
Eagleton, Terry (1988): The Ideology of the Aesthetic. In: *Poetics Today* 9 (2), S. 327–338.
Flynn, Thomas R. (2005): Sartre, Foucault, and Historical Reason. Volume 2: A Poststructuralist Mapping of History. Chicago: University of Chicago Press.
Foucault, Michel (1971): Die Ordnung der Dinge. Eine Archäologie der Humanwissenschaften. Frankfurt am Main: Suhrkamp.
Foucault, Michel (1988): Technologies of the Self. In: Luther H. Martin (Hg.): Technologies of the self. A Seminar with Michel Foucault. Amherst, Mass.: Univ. of Massachusetts Press, S. 16–49.
Foucault, Michel (2001): Schriften in vier Bänden. Dits et Ecrits. Band I. 1954-1969. Frankfurt am Main: Suhrkamp.
Foucault, Michel (2001a): Die Geburt einer Welt. Gespräch mit M. Palmier. In: Foucault 2001, S. 999-1002.
Foucault, Michel (2005): Schriften in vier Bänden. Dits et Ecrits. Band IV. 1980-1988. Frankfurt am Main: Suhrkamp.
Foucault, Michel (2005a): Eine Ästhetik der Existenz. In: Foucault 2005, S. 902–908.
Foucault, Michel (2005b): Was ist Aufklärung? In: Foucault 2005, S. 687-706.
Foucault, Michel (2005c): Gespräch mit Ducio Trombadori. In: Foucault 2005, S. 51-118.
Foucault, Michel (2005d): Technologien des Selbst. In: Foucault 2005, S. 966–998.
Foucault, Michel (2008): The Birth of Biopolitics. Lectures at the Collège de France, 1978-79. New York, NY: Palgrave Macmillan.
Foucault, Michel (2010): Der Mut zur Wahrheit. Die Regierung des Selbst und der anderen II. Vorlesung am Collège de France 1983/84. Frankfurt am Main: Suhrkamp.
Früchtl, Josef (2004): Das unverschämte Ich. Eine Heldengeschichte der Moderne. Frankfurt am Main: Suhrkamp.
Früchtl, Josef (2010): Ist Kulturkritik heute noch möglich? In: *Information Philosophie* 38 (1), S. 7–13.

Habermas, Jürgen (1988): Der philosophische Diskurs der Moderne. Zwölf Vorlesungen. Frankfurt am Main: Suhrkamp.

Hagemeier, Martin (2014): Dem Chaos eine Form geben. Eine Einführung zu Cornelius Castoriadis. Norderstedt: Books on Demand.

Halimi, Serge (2016): Totengräber der Demokratie. In: Le Monde diplomatique vom 8.September 2016.

Haraway, Donna (1988): Situated Knowledges: The Science Question in Feminism and the Privilege of Partial Perspective. In: *Feminist Studies* 14 (3), S. 575–599.

Haraway, Donna (1991a): In the Beginning Was the Word: The Genesis of Biological Theory. In: Haraway 1991c, S. 71–80.

Haraway, Donna (1991b): Reading Buchi Emecheta: Contests for 'Women's Experience' in Women's Studies. In: Haraway 1991c, S. 109–126.

Haraway, Donna (Hg.) (1991c): Simians, Cyborgs and Women: The Reinvention of Nature. New York: Routledge.

Haraway, Donna (1991d): The Past Is the Contested Zone: Human Nature and Theories of Production and Reproduction in Primate Behaviour Studies. In: Haraway 1991c, S. 21–42.

Haraway, Donna (1991e): A Cyborg Manifesto: Science, Technology, and Socialist-Feminism in the Late Twentieth Century. In: Haraway 1991c, S. 149–181.

Haraway, Donna (1995): Die Neuerfindung der Natur. Primaten, Cyborgs und Frauen. Frankfurt/Main, New York: Campus, S. 33–72.

Haraway, Donna (1995a): Ein Manifest für Cyborgs. Feminismus im Streit mit den Technowissenschaften. In: Haraway 1995, S. 33–72.

Haraway, Donna (1995b): Situiertes Wissen. Die Wissenschaftsfrage im Feminismus und das Privileg einer partialen Perspektive. In: Haraway 1995, S. 73–97.

Hegel, Georg W. (2003): Grundlinien der Philosophie des Rechts oder Naturrecht und Staatswissenschaft im Grundrisse. Frankfurt am Main: Suhrkamp (7).

Hegel, Georg Wilhelm Friedrich (2015): Vorlesungen über die Philosophie der Geschichte. 11. Auflage. Frankfurt am Main: Suhrkamp.

Honneth, Axel (1995): Decentered Autonomy: The Subject after the Fall. In: Axel Honneth und Charles W. Wright (Hg.): The Fragmented World of the Social. Essays in Social and Political Philosophy. Albany: State University of New York Press, S. 261–272.

Kappel, Klemens (2012): The Problem of Deep Disagreement. Online verfügbar unter https://www.academia.edu/2592706/What_is_the_Problem_of_Deep_Disagreement. Zuletzt geprüft am 30.11.2017.

Kronauer, Martin (2007): Neue soziale Ungleichheiten und Ungerechtigkeitserfahrungen: Herausforderungen für eine Politik des Sozialen. In: *WSI Mitteilungen* (7), S. 365-372.

Kronauer, Martin; Schmid, Günther (2011): Ein selbstbestimmtes Leben für alle. Gesellschaftliche Voraussetzungen von Autonomie. In: *WSI Mitteilungen* (4), S. 155–162.

Lipset, Seymour Martin (1959): Some Social Requisites of Democracy. Economic Development and Political Legitimacy. In: *The American Political Science Review* 53 (01), S. 69–105.

Lister, Michael (2015): "It's all in the game": Citizenship as the "Missing Middle". In: Arin Keeble und Ivan Stacy (Hg.): The Wire and America's Dark Corners. Critical Essays. Jefferson, North Carolina: McFarland & Company, S. 67–80.

Luckner, Andreas (2005): Klugheit. Berlin, New York: de Gruyter.

Luhmann, Niklas (1975): Selbst-Thematisierungen des Gesellschaftssystems. In: Niklas Luhmann: Soziologische Aufklärung 2. Aufsätze zur Theorie der Gesellschaft. Wiesbaden: VS Verlag für Sozialwissenschaften, S. 72–102.

Luhmann, Niklas (1994): Der Wohlfahrtsstaat zwischen Evolution und Rationalität. In: Niklas Luhmann: Beiträge zur funktionalen Differenzierung der Gesellschaft, 104-116. Opladen: Westdt. Verl.

Luhmann, Niklas (1997): Die Gesellschaft der Gesellschaft. Frankfurt am Main: Suhrkamp.

Marchart, Oliver (2007): Post-Foundational Political Thought. Political Difference in Nancy, Lefort, Badiou and Laclau. Transferred to digital print. Edinburgh: Edinburgh Univ. Press.

Marchart, Oliver (2013): Das unmögliche Objekt. Eine postfundamentalistische Theorie der Gesellschaft. Berlin: Suhrkamp.

Marx, Karl; Engels, Friedrich (1977): Manifest der kommunistischen Partei. In: Karl Marx und Friedrich Engels: Karl Marx. Friedrich Engels. Werke. Berlin: Dietz (4), S. 459–493.

Morton, Brian (2011): Falser Words Were Never Spoken. In: *The New York Times*, 30.08.2011, A23. Online verfügbar unter http://www.nytimes.com/2011/08/30/opinion/falser-words-were-never-spoken.html. Zuletzt geprüft am 30.11.2017.

Mouffe, Chantal (2005): On the Political. London, New York: Routledge.

Nassehi, Armin (2004): Die Theorie funktionaler Differenzierung im Horizont ihrer Kritik. In: *Zeitschrift für Soziologie* 33 (2), S. 98–118.

Nozick, Robert (1999): Anarchy, State, and Utopia. Malden, MA: Blackwell.

Olson, Mancur; Fleischmann, Gerd (1985): Aufstieg und Niedergang von Nationen. Ökonomisches Wachstum, Stagflation und soziale Starrheit. Tübingen: Mohr.

Putnam, Robert D. (1995): Bowling Alone. America's Declining Social Capital. In: *Journal of Democracy* 6 (1), S. 65–78.

Rancière, Jacques (1995): Démocratie ou consensus. In: Jacques Rancière (Hg.): La mésentente. Politique et philosophie. Paris: Galilée, S. 133–166.

Rancière, Jacques (1997a): Demokratie und Postdemokratie. In: Alain Badiou, Jacques Rancière und Rado Riha (Hg.): Politik der Wahrheit. Wien: Turia & Kant, S. 94–122.

Rancière, Jacques (1997b): Gibt es eine politische Philosophie? In: Alain Badiou, Jacques Rancière und Rado Riha (Hg.): Politik der Wahrheit. Wien: Turia & Kant, S. 64–93.

Rancière, Jacques (1999): Disagreement. Politics and Philosophy. Minneapolis: Univ. of Minnesota Press.

Rancière, Jacques (2002): Demokratie oder Konsens. In: Jacques Rancière: Das Unvernehmen. Politik und Philosophie. Frankfurt am Main: Suhrkamp, S. 105–131.

Rancière, Jacques (2007): Hatred of democracy. London: Verso.

Rancière, Jacques (2008): Zehn Thesen zur Politik. Zürich: Diaphanes.

Rancière, Jacques (2010): Dissensus. On Politics and Aesthetics. Hg. v. Steve Corcoran. London, New York: Continuum.

Rancière, Jacques (2010a): Does Democracy Mean Something? In: Rancière 2010, S. 45–61.

Rancière, Jacques (2010b): Ten Theses on Politics. In: Rancière 2010, S. 27–44.

Rawls, John (1979): Eine Theorie der Gerechtigkeit. Frankfurt am Main: Suhrkamp.

Rendueles, César (2015): Soziophobie. Politischer Wandel im Zeitalter der digitalen Utopie. Berlin: Suhrkamp.

Richter, Emmanuel (2006): Das Analysemuster der ‚Postdemokratie'. Konzeptionelle Probleme und strategische Funktionen. In: *Forschungsjournal Neue Soziale Bewegungen* (4), S. 23–37.

Rorty, Richard (1992): Kontingenz, Ironie und Solidarität. Frankfurt am Main: Suhrkamp.

Schäfer, Armin (2010): Die Folgen sozialer Ungleicheit für die Demokratie in Westeuropa. In: *Zeitschrift für Vergleichende Politikwissenschaft* 4 (1), S. 131–156.

Scheu, René (2016a): Liberal? Gott bewahre! In: *Neue Zürcher Zeitung*, 30.01.2016. Online verfügbar unter https://www.nzz.ch/feuilleton/liberalgott-bewahre-1.18685968. Zuletzt geprüft am 30.11.2017.

Scheu, René (2016b): Streitkultur ist nötiger denn je. In: *Neue Zürcher Zeitung*, 26.03.2016. Online verfügbar unter https://www.nzz.ch/feuilleton/aufgabe-des-feuilletons-zur-aktualitaet-der-streitkultur-ld.9891. Zuletzt geprüft am 30.11.2017.

Spencer-Brown, George (1979): Laws of Form. New York: E. P. Dutton.

Spinoza, Baruch de (1999): Ethik in geometrischer Ordnung dargestellt. Neu übersetzt, herausgegeben mit einer Einleitung versehen von Wolfgang Bartuschat. Lateinisch – Deutsch. Hamburg: Meiner.

Taylor, Charles (2005): Hegel. Repr. Cambridge: Cambridge Univ. Press.

Tietze, Nikola (2001): Muslimische Erfahrungen. Selbstbilder zwischen Tradition und Emanzipation. In: *Mittelweg 36* 10 (5), S. 63–74.

Tietze, Nikola (2011): Erfahrung, Institution und Kritik in der postindustriellen Gesellschaft: François Dubets Soziologie. In: *Mittelweg* 36 (20), S. 51–58.

van Dyk, Silke (2012): Poststrukturalismus. Gesellschaft. Kritik. Über Potenziale, Probleme und Perspektiven. In: *PROKLA* 2012 (2), S. 185–210.

Walpen, Bernhard (2004): Die offenen Feinde und ihre Gesellschaft. Eine hegemonietheoretische Studie zur Mont Pèlerin Society. Hamburg: VSA-Verlag.

Weyrosta, Jonas (2017): „Radikale Umverteilung stärkt die Nachfrage“. In: *Der Freitag*, 28.09.2017 (39). Online verfügbar unter https://www.freitag.de/autoren/weilmeldung/radikale-umverteilung-staerkt-die-nachfrage. Zuletzt geprüft am 30.11.2017.

Žižek, Slavoj (2001): Die Tücke des Subjekts. Frankfurt am Main: Suhrkamp.

Žižek, Slavoj (2002): Die Revolution steht bevor. Dreizehn Versuche über Lenin. Frankfurt am Main: Suhrkamp.

Žižek, Slavoj (2008): The Sublime Object of Ideology. London u.a.: Verso.

Žižek, Slavoj (2017): Die populistische Versuchung. In: Heinrich Geiselberger (Hg.): Die große Regression. Eine internationale Debatte über die geistige Situation der Zeit. Unter Mitarbeit von Arjun Appadurai, Zygmunt Bauman, Donatella Della Porta, Nancy Fraser, Eva Illouz, Ivan Krastev et al. Berlin: Suhrkamp, S. 293–314.

Lightning Source UK Ltd.
Milton Keynes UK
UKHW042154270219
338157UK00001B/115/P